천상하 줄기라 제대로 바람났다

한미숙 지음

천상 아줌마 제대로 바람났다

2014년 10월 15일 초판 1쇄 발행
지은이 한미숙
발행인 유준원
편 집 박주연
디자인 엄윤경
마케팅 김혜림
경영지원 강수진
발행처 도서출판 더 클
인 쇄 Pacom
공급처 명문사
출판신고 제2014-000053
주 소 서울시 금천구 남부순환로 108길 20-10 (가산동)
전 화 (02)2025-3220 팩스 (02)2025-3221
전자우편 thecleceo@naver.com

ISBN 979-11-953239-2-0

천상 아줌마
제대로
바람났다

prologue

내가 책을 내기 위해 글을 쓰기 시작했다…….

지금 삶에서 돌파구가 필요했다.

그 돌파구가 일탈이 되어서는 안 되고, 살림과 아이들 교육을 뒤로 미루는 일이어서도 안 된다.

머리가 복잡해졌다.

손은 집안 일로 바쁘게 움직이면서도 문득문득 간헐적으로 머리와 몸이 멈칫거렸다.

이게 웬일일까, 싶었다. 멈칫거리는 횟수는 작년부터 부쩍 심해졌다.

마흔여섯. 40대 후반이라는 걸 생각하면서부터였을까?

사는 게 재미있다, 없다 말하는 사람들은 무엇을 기준으로 재미가 있고 없는 걸 나누는 걸까. 나는 재미가 있는 게 무엇인지, 없는 게 무엇인지도 모르고 살아 왔다. 몇 년 만에 만나게 되는 친구나 선배, 후배를 만날 때마다 인간문화재 대하듯 하는 게 이제는 익숙해지고 말았다.

네 명의 아이를 낳고 키우는 사람이 나 말고도 얼마나 많은데 저렇게 호들갑일까.

사람들은 네 명의 아이가 있다는 소리에 유난히 놀라워한다. 나는 사람들의 놀라는 표정을 마주하면 짜증이 밀려오기도 한다. 사람들이 놀라 입을 벌리면, 그 입에 주먹이라도 넣어 주고 싶을 정도다.

나는 구경거리가 아니다. 계획 없는 사람도 아니다. 아이들은 모두 마음까지 예쁘게 잘 성장하고 있다.

하지만 어느 순간 한숨이 늘어났다. 한숨을 쉴 때면 나는 누군가에게 구경거리가 되는 기분이 들었고, 계획 없는 사람이 된 것도 같았다. 마음까지 예쁘다고 믿었던 아이들이 썩 잘 크는 것 같지도 않았다.

항상 그 자리에 있는 살림살이들과 아침 밤으로 치루는 전쟁들.

변한 것은 없었다.

내 머리만 갑자기 이상해진 게 분명했다.

계획하지 않았던 한숨들은 깨달음을 주려는 듯, 머릿속 깊은 곳으로 생각이 밀려 들어왔다.

아무도 모른다. 아니 몰라준다.

일부러 밥을 안 해볼까, 아침에 늦잠을 잘까. 한 번도 못해본 일들을 생각해냈다.

집안 다섯 명의 식구는 나와 함께 살을 비비며 살지만, 내 머리가 복잡해지고 한숨이 많아졌다는 걸 아무도 눈치채지 못하고 있다.

어느 날, 번개가 쳤다.

어렴풋이 이름만 알았던 동창이 책을 출판했다는 소식을 들었다.

어느 날부터인가 주변의 모든 사람들은 날더러 책을 쓰라고

등을 떠밀었었다. 결혼 이후에도 남편과 아이들로부터 글을 잘 쓴다는 말을 듣지 않았던가. 하지만 책을 낸 것은 내가 아닌 다른 사람이었다. 당장에 그 책을 주문할 수밖에 없었다.

나와는 전혀 무관한 내용이었다. 하지만 글은 치열하게 살아온 본인의 이야기를 통해 감동을 이끌었다.

친구는 얍체처럼 얇은 책을 내놓고 여기저기 메시지를 날렸다.

내 마음은 시끄러워졌다.

친구에게 전화를 했다. 없었던 용기가 갑자기 생겨난 거다.

정말 축하해……. 부럽다.

친구는 6개월 만에 책을 출간했다고 한다. 책을 내고 싶은 마음만 있다면 6개월 안에 낼 수 있다는 말이 우스웠다. 중학교 때부터 책을 내는 작가, 글을 쓰는 직업을 꿈꾸었지만 한 페이지도 쓰지 못했던 기억이 떠올랐다. 6개월이라는 기간을 말했을 땐 욕을 해 주려다 말았다.

'어떻게 말도 안 되는 말을 그렇게 쉽게 할까. 책 냈으니까 그렇게 함부로 말하는 걸까?'

그렇게 통화를 끝내고 며칠간은 멍해 있었다. 나와는 상관도 없을 그 책을 몇 번을 더 보게 되었다.

이 정도라면 나도 쓸 수 있겠다는 생각이 들면서부터 가슴이 쿵쾅거리기 시작했다. 다시 그 친구한테 전화했다. 나도 언젠가 책을 내고 싶은데 도와달라고.

"독서클럽 다녀 볼래?"

10년도 넘은 독서클럽이고 우리나라에서 제일 유명한 곳이라며 자신이 다니는 독서클럽을 추천해 주었다. 매주 토요일 아침 6시 40분부터 두 시간 동안 진행되는 토론 모임이었다. 유일하게 늦잠을 잘 수 있는 토요일 아침을 독서클럽과 바꾸기는 싫었지만, 지금 5개월째 열심히 독서클럽에 다니고 있다. 전주 리더스 독서클럽과의 만남은 내게 행복을 느끼게 해 준 운명적인 만남이었다.

만약 리더스독서클럽을 못 만나고 계속 집안에 처박혀 있었다면? 가족들에게 바가지나 긁고 있을 내 모습이 쉽게 떠오른다.

나는 이 책 안에 얼마나 깔끔하고 완벽한 삶을 꿈꾸었는지, 그동안의 삶을 있는 그대로 다 쏟아 넣었다.

이전의 나는 행복, 불행. 모두 신경 쓸 필요 없었다.

당장 눈앞에 닥쳐 있는 작은 일에만 집중해야 했다.

세상에 태어나 잘한 일들 중 하나에 책을 쓴 일을 넣고 싶다.

책을 쓰려는 마음을 가진 순간부터 인생이 통째로 바뀐 기분이다.

쓰다가도 포기하고 싶은 마음이 많았지만, 끝까지 완성한 내 자신에게 감사하다.

나를 전혀 모르는 사람이 읽어도 감동을 얻었으면 하는 마음을 실었다.

누군가 시간을 들여 내 글을 읽게 된다면 하나라도 얻어갈 수 있는 '무언가'가 있는 책을 만들고 싶었다.

내 모든 노력과 마음을 담아, 이제 글은 내 손을 떠났다.

스스로 결벽증이라고 생각하며 갇혀 있던 내가 다른 사람에게 조언을 할 수 있게 되었다.

변화하려면 마음이라도 먹으라고 말이다.

마음먹는 일이 첫 번째이니까.

|목 차|

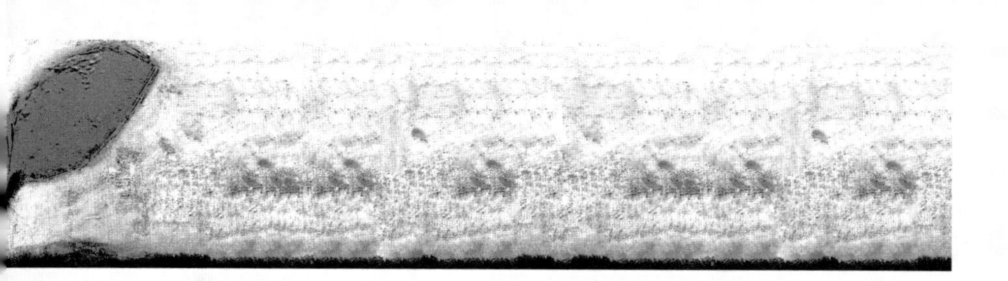

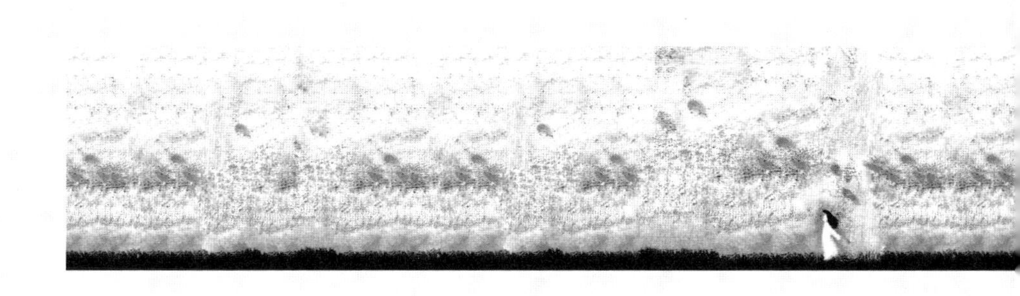

천상하좀마

제대로 사랑났다

웃게 만드는 일인 건 분명하다

아직도 나를 슬며시

웃지 못할 사건들은

하지만 결벽증으로 생긴

부담스럽게만 느껴진다

나에 대한 염려는 아직도

지겨운 결벽증

내 결벽증에 대해 이야기하자면, 제일 첫 기억은 중학교 1학년 때로 거슬러 올라간다. 뒷집에 사는 동네 언니의 집으로 놀러 갔을 때의 일이다. 그 집 마당 한 켠에는 작은 텃밭이 있었다. 텃밭에는 커다랗게 자란 가지와, 붉은 빛을 내는 토마토가 주렁주렁 매달려 있었다.

"하이고, 미숙이 왔구나. 그럼 이거 하나 먹어야지."

언니 어머니는 나를 반기며, 곧바로 텃밭으로 걸어가 큼지막한 토마토를 땄다. 그리곤 때가 낀 작업복에 쓱쓱 두어 번 문지른 후 붉은 토마토를 건넸다. 갑자기 식은땀이 등줄기를 타고 흐르는 느낌이었다.

"네? 감… 감사합니다."

우선 받아 들기는 했지만, 내 병적인 깔끔함은 토마토를 들고 있는 것조차 고역이었다. 천천히 아주머니의 옷을 살폈다. 절대 더러운 옷은 아니었다. 하지만 내 눈에는 곳곳에 묻은 흙과 먼지들만 보일 뿐이었다.

나는 이러지도 못하고 저러지도 못했다. 어린 마음에 눈치가 보여, 토마토를 닦아내고 먹을 수도 없는 노릇이었다. 아주머니의 눈을 피해 이러저리 마당을 살피기 시작했다. 여기가 어디인지, 내가 왜 여기에 왔는지도 모를 상황에 마음속에서는 '하나님 아버지!' 만을 외치고 있었다.

'아! 그래, 마루가 있었지!'

내가 앉아있는 마루 아래에는 빈 공간이 있을 터였다. 살짝 고개를 내려 아래 공간을 재빠르게 살폈다. '그래, 오른쪽으로 살짝만 던지면……!' 주변 눈치를 살피고 재빨리 토마토를 던졌다. 역전 만루 홈런을 날리는 타자의 마음을 알 것도 같았다.

하지만 그 기쁨도 잠시였다. 아슬아슬하게 담장을 넘지 못하고 홈런에 실패한 야구공처럼 토마토는 다시 내 쪽으로 데굴데굴 굴러왔다. 너무 힘차게 던진 탓에 기둥을 맞고 튕겨져 나온 것이었다.

아주머니와 눈이 마주쳤다. 그리고 아주머니는 눈길을 내려 흙이 묻은 토마토를 발견하셨다. 심장이 터져 버릴 것 같았다.

"아고, 떨어뜨린 모양이네."

내가 대답을 할 새도 없이 아주머니는 토마토를 주워 수돗가에서 흙먼지를 깨끗하게 닦아내셨다.

다시 내 손으로 돌아 온 토마토를 나는 억지로 한 입 베어 물고 삼키고, 다시 한 입 베어 물고 삼켜버렸다. 그 날의 토마토 맛은 여전히 기억나지 않는다.

결벽증으로 인한 사건은 계속 이어져왔다. 전 국민이 88올림픽에 들떠있던 무더운 날이었다. 언니와 함께 음료수를 샀다. 돈이 모자라, 한 병에 두 개의 빨대를 꽂아 사이좋게 나눠 먹어야만 했다. 피를 나눈 자매지간 이었지만, 내 성격이 어디 가지는 못했다. 같은 색의 빨대가 혹시라도 섞일까, 이로 살짝 물어 내 빨대라는 표시를 해 두었다.

물론, 언니는 눈치채지 못하게 했다. "넌, 너무 유난이야! 어디 나중에 남자랑 뽀뽀는 하겠니?" 이런 말들이 쏟아질 게 뻔했기 때문이다. 나는 내 스스로의 방법에 감탄을 하며, 사이좋게 음료수를 비워냈다.

"잘 먹었냐?"

뜬금없는 언니의 질문에 갑자기 불안해졌다.

“니가 너무너무 깔끔 떠는 성격이라 그 버릇 고쳐주려고, 내가 한 건 했다!”

언니의 말을 듣기 싫었지만, 언니는 계속해서 말을 이어나갔다.

“내가 빨대로 쪽쪽 빨아 먹기만 했겠냐? 다시 뱉기도 했는데, 이건 몰랐지?”

나는 마음속으로 하나님을 외쳤다. 이미 언니는 내가 빨대에 표시해 둔 것을 본 것이었다. 마신 음료수가 다시 입 밖으로 나올 것만 같았다. 아니, 차라리 방금 마신 음료수가 입 밖으로 나오면 좋겠다고 생각했다. 억울해졌다. 나는 스물을 넘긴 나이에도 불구하고 길바닥에 앉아 펑펑 울고 말았다.

언니는 미안했던지, “나는 네가 너무 병적으로 깔끔 떠니까 고쳐주고 싶을 뿐이었어.”부터, “미안, 안 그럴게.”, “그런다고 죽지 않아.”까지 계속해서 말을 했다. 당시 그 말들이 내 귀에 들어올 리 없었다. 나는 계속해서 눈물 콧물을 다 쥐어짜며 울었다. 뒤통수를 맞은 기분이었다.

‘이제 우리의 인연은 끝이야.’ 나는 속으로 연신 소리를 질렀다. 나는 이제, 작은 언니가 사라졌다고 생각해버렸다.

언니는 잠시 사라졌다 돌아오더니 내 눈 앞에 똑같은 음료수를 들이밀었다. 최고 짠순이인 우리 언니가 성인이 된 동생 울음을 그치게 하겠다고, 음료수를 사온 것이었다.

나는 아까 언니와 나눠 마신 음료수가 떠올랐다. 눈물은 더 쏟아졌다. 물론, 언니의 말대로 내 몸에는 아무 이상이 없었다. 하지만 나는 금방이라도 내가 픽 쓰러져 죽을 것 같은 느낌이었다. 언니는 계속해서 어쩔 줄 몰라 했고, 급기야 나를 따라 찔끔찔끔 눈물을 흘리기 시작했다. 나는 갑작스런 언니의 눈물에 놀라기도 했지만, 통쾌하다는 감정이 더 크게 느껴졌다. 나는 더 이상 쏟아질 눈물이 없었지만, 일부러 우는 시늉을 했다. 다 큰 여자 둘이 길바닥에서 음료수 한 병을 두고 울었던 사건은 아직도 내 기억에 선명하다.

내 결벽증 이야기는 그 후로도 끊임없이 사건을 만들어냈다.

곰곰이 생각해 보면, 내 결벽증으로 시작된 사건은 있지만, 언제부터였는지, 왜였는지는 뚜렷하지 않다.

스스로도 '왜 생겼을까?'라는 질문을 한 적이 없기 때문이다. 아직도 주변에서는 나에게 결벽증이 있어 힘들겠다고 말을 한다. 나는 그때마다 스트레스를 받는다. 모두들 내가 잘못 된 것처럼 말하기 때문이다.

나는 깨끗한 게 더 좋을 뿐이고, 그 좋은 부분을 위해 시간을 더 쏟을 뿐이다. 그러다보니 반대인 사람이 싫어지는 단순한 일이다. 다른 사람들도 그러리라 생각한다. 그래도 요즘은 결벽증을 고치기 위해 많은 노력을 하고 있다. 노력이라기보다는 더 좋아하는 글 쓰는 일을 찾았기 때문에 그 일에 대한 시간이 줄어드는 것뿐이다. 하지만 글 쓰는 일을 통해 내 스스로 영영 고치지 못할 것만 같았던 결벽증이 점차 얕아지는 것 같아 기분이 나아진다.

나에 대한 염려는 아직도 부담스럽게만 느껴진다. 하지만, 결벽증으로 생긴 웃지 못 할 사건들은 아직도 나를 슬며시 웃게 만드는 일인 건 분명하다.

늪이 된 결벽증

내가 집 청소를 미루는 일은 딱 두 가지의 경우다. 가족 모두가 휴가를 갈 때와 시댁에 방문하는 때이다. 아이 넷을 낳고 키운 내 몸은 여기저기 안 쑤신 곳이 없다. 하지만 병원에 입원하게 돼 집을 떠나지 않는 한 청소를 미루지 않는다. 그리고 설사 내가 몸이 아파 입원 하게 된다 해도 모든 청소의 책임은 남편에게 돌아가게 된다. 남편은 중년의 아저씨치고는 꽤 깔끔한 편이라고 할 수 있다. 그러기에 믿고 맡길 수 있기는 하다.

하지만 깔끔한 남편도 내 깔끔함에 비하면 새 발의 피일뿐이다. 우리 집 현관에는 항상 신문지가 깔려 있다. 가족이든 손님이든 할 것 없이 밖에서 들어온 신발은 무조건 복도 창 밖에서 흙먼지를 털어내야 한다. 나는 그것마저 부족해서 신문지 위에 신발을 올려 둬야 직성이 풀린다. 손님이든 가족이든 자기 신발에 무슨 세균이라도 붙어 있냐며 한마디씩 덧붙이지만 나는 먼지 한 톨이라도 집 안으로 들어오는 꼴을 못보겠다.

남편은 이런 나에게 불만이 많다. 다들 불만이라고 하면, 내가 너무 깔끔해서라고 생각하기 일쑤지만, 반대로 더러운 부분에 있어서 불만이 확실하다.

보통 남자들처럼 차에 있어서는 나보다 더 강한 결벽증을 보이는 남편이다. 가족들과 짧은 거리를 이동할 때는 그마나 괜찮은 편이다. 하지만 꽤 긴 거리를 운전해야 할 때는 온 신경을 우리 가족에게 쏟으며, 하나하나 매의 눈으로 확인한다.

한번씩 신호에 걸리기라도 하면, 내 자리에서 아들 자리까지 쭉 훑어보고는 참을 수 없다는 표정을 짓는다. 여기저기 떨어진 빈 과자 봉투와, 신발에서 떨어진 흙, 과자 부스러기까지…….
차 안은 쓰레기 천국이다. 나조차도 당연하게 신발의 흙을 안 털거니와 휴지는 바로 바닥에 내려놓는데 아이들은 오죽할까 싶다.

남편은 원래 저혈압이다. 하지만 이럴 때만큼은 고혈압 환자가 된다. 원래가 가족에게 화 한 번 못내는 성격이니, 그저 혼자

붉으락푸르락할 뿐이다. 깔끔함이 몸에 밴 나지만, 왜 남편의 차에서만큼은 결벽증이 해제되는지 나조차도 궁금한 일이다.

남편의 불만은 물론 한두 가지가 아니다. 반대의 불만도 물론 있다. 식사 시간에 불평을 하는 게 하나 있다. 나는 찌개를 끓이면, 당연히 각자의 국그릇에 조금씩 담아 준다.

"우리가 옮는 병이 있는 것도 아니고……."

남편은 한번씩 입을 내밀고 작게 말을 뱉는다. 오가는 숟가락에서 가족의 애정이 싹튼다고 믿는 남자다. 남편을 배려해 이 버릇을 바꾸기는 했지만, 이런 불평이 뭐 한두 개 고친다고 끝이 날 수 있을까 생각한다.

나의 결벽증은 시댁에 갔을 때도 마찬가지다. 앞서 말한 청소하지 못한다는 건 우리 가족의 집을 못하는 것뿐이다. 대신 시댁을 우리 집처럼 청소한다. 당연히 시댁 어머니의 집에서도 쉴 수가 없다. 어머니는 고생스럽게 안 해도 된다고 말씀하신다. 하지만 내 사전에 안 해도 되는 청소는 남편의 차밖에 없다. 시댁 어머니도 저렇게 말씀을 하시지만, 막상 청소를 끝내고 나면 깔끔해지는 집 안을 보고 늘 기뻐하시는 눈치다. 그럴수록 내 청소 의지는 더 강해질 뿐이다.

시댁에서의 청소는 약간 다르다. 나는 도착하자마자 제일 먼저 편안한 옷으로 갈아입는다. 그리고 장롱에 있는 이불을 모조리 꺼내 먼지를 털어 낸다. 궂은 날씨가 아니라면 당연히 햇볕 좋은 곳에 널어 둔다. 청소기를 꺼내 집 안 구석구석 시골 특유의 흙먼지까지 싹 쓸어버린다. 쉬운 일은 아니다. 늘 하루 몇 시간씩 하던 우리 집을 청소하는 것과는 확연히 다르다.

먼지를 싹 거둬 내고 나면 안방, 건넌방, 주방, 마루 할 것 없이 두 무릎을 꿇고 빡빡 문지른다. 남아 있는 먼지까지 싹 거둬 내는 것이다. 그냥 보통 집의 청소와 같다고 생각하면 오산이다. 흙먼지 가득한 시골집은 힘을 더 쏟아내야 하는 부분이 이곳저곳에 널려 있다.

잠깐 쉴 틈이란 건 없다. 나는 방 청소를 끝내면 바로 주방으로 튀어 들어간다. 숟가락, 젓가락, 주방 도구 할 것 없이 삶고 닦고……. 누가 보면 일을 하는 건지 늘리는 건지 헷갈릴지도 모른다. 가스레인지에 아무렇게나 떨어진 음식물조차 그냥 내버려 둬서는 안 된다. 수세미로 문지르고, 삶은 행주로 때를 벗겨내야 청소를 했다고 말 할 수 있다.

주방에서의 청소 포인트는 역시나 냉장고다. 거대한 냉장고는 쉽게 코드를 뽑을 수도 없다. 청소하는 내내 경보음이 울리는 게 여간 신경 쓰이는 게 아니다. 제일 먼저 반찬통을 싹 다 꺼낸다. 다 꺼냈다면, 청소의 절반을 한 것과 마찬가지다. 행주로 각 칸을 빠득빠득 닦아 낸다. 계속해서 울어대는 소리가 마음을 조급하게 만들지만 기계 울음소리 정도로는 내 청소를 막을 수 없다. 각 칸을 닦고 나면 야채 칸만 남게 되는데, 계속해서 울려대는 냉장고 소리에 야채칸 만큼은 냉장고 밖에서 닦은 후 제자리에 넣는다.

이렇게 쉬지 않고 청소를 하면, 어느새 하늘은 하루 해 절반을 삼키고 있다. 매번 시댁에 내려올 때마다 한시도 쉬지 않고 청소를 해 왔다. 매번하는 내려올 때마다 하는 청소지만 다음에 내려오면 다시 제자리로 돌아가 있는 먼지들이 나를 쉬지 않게 만든다. 저녁을 이미 차리고도 남았어야 할 시간이지만 나는 밥보다 청소가 더 중요한 사람이다.

나의 이런 우선순위를 가장 좋아하는 사람은 우리 시댁 어머니다. 처음에는 그럴 필요 없다며 팔까지 잡고 말리셨지만, 스스로 농사에 대청소까지는 어림없다는 걸 아시고는 나의 청소에 고맙다고 하신다.

나의 이런 결벽증은 친정어머니로부터 시작됐다고 해도 과언이 아니다. 친정어머니는 올해 일흔일곱의 연세로도 청소라면 자다가도 일어나서 하시는 분이다. 어머니의 이런 점은 나뿐만 아니라, 우리 세 자매 모두에게 유전된 버릇이었다. 서로 모이면 "그래도 언니보다는 내가 덜 깔끔 떠는 성격이야, 안 그래?" 라고 떠들며 자신들의 결벽증을 피하려고만 애쓴다. 다른 집에서는 찾아볼 수 없는 광경이다. 피는 물보다 진하다고 어머니의 피를 모두 물려받았으니 피할 수 없는 운명과도 같다.

내 결벽증은 청소뿐만 아니다. 바로 빨래를 빼 놓을 수 없다. 나는 하루에 꼬박 두 번씩 세탁을 한다. 세탁마다 아홉 번의 헹굼을 작동 시키다보니 수도세가 무시무시하게 나올 수밖에 없다. 다른 집들은 한 달에 많이 나와 봤자, 2만 원에서 3만 원 사이라고 한다. 그런데 '우리 집은 식구가 많아서'라는 변명으로도 통하지 않을 정도다. 한 달에 꼬박꼬박 10만 원의 수도세가 나온다. 그러다보니 수도원이 우리 집 문을 두드리는 일은 대수롭지 않은 일이 되었다.

"혹시, 수도 배관에 문제가 생겼나 해서 나왔습니다."

아파트 단지 중에서 제일 많이 나오는 것도 당연하거니와 수도 사용량이 보통 집의 3배 가까이 된다고 하니 검침원의 블랙리스트에 올라와 있는 것도 당연한 일이다.

"저희가 식구가 많아서요."

가끔은 어색하게 변명해 보기도 한다.

친구들은 말한다.

"야, 넌 소양강댐 옆에 집짓고 그 물 끌어다 써도, 금방 바닥 낼 게 분명해."

그 말이 사실일지도 모른다. 그래도 요즘엔 많이 변하고 있다는 걸 내 스스로가 느낀다. 나이가 든 탓인지, 나만의 취미가 생긴 탓인지, 요즘은 청소 시간이 조금씩 줄어들고 있다. 내가 생각해도 많이 나오는 수도 요금은 아끼고 아껴 20%나 줄일 수 있었다. 기쁜 마음에 자랑을 해 보았지만 주변의 반응은 여전히 냉담하다.

이런 버릇들이 앞으로도 서서히 줄어들지, 아니면 잠깐의 청소 휴식기인지도 모른다. 하지만, 분명한 사실은 예전엔 별 생각 없이 넘겼던 것들에 대해서 다시 생각하고 있다는 점이다. 결벽증과 관련된 안 좋은 버릇은 버리자는 마음으로 노력한다는 것. 이 하나만으로도 나는 내 스스로 기특하다.

여유 없이 달리는
남편의 삶에 나는
이유없이 마음이 찡해지곤 한다
우리는 어느새 결혼 21주년을
맞이했다

남편 아닌 내편

한 눈에 봐도 낡아빠진, 소매까지 닳은 셔츠를 입고 등장한 남자. 심지어 첫 만남에 30분이나 늦게 등장한, 이 간 큰 남자가 남편이 되리라고는 상상도 못 한 일이었다. 지인의 소개로 이름 석 글자만 달랑 안 채 카페에서 기다리기를 30분. 포기하고 자리를 뜨려던 순간, 한 남자가 숨을 헐떡이며 안으로 들어섰다.

"아, 주차 때문에요." 변명하는 모습이 마음에 들지 않았지만, 소개해 준 지인을 생각해 자리에 앉기는 했다. 속으로는 정말 한 개만 더 걸려라, 당장 자리를 박차고 나가야지.'라는 생각으로 복수를 다짐하고 있었다. 그래도 상기된 얼굴로 연신 미안하다는 그 남자가 뭔가 밉지는 않았다.

헤어질 시간이 되자 남편은 무작정 연락처를 물었다.

"언니 통해서 전달해 줄게요."

남자는 의자에서 일어날 생각이 없는지, 계속 앉아서는 빤히 바라보다 말한다.

"아뇨, 지금 주세요."

핸드폰이 흔하지 않던 시대였다. 그 당시 회사 기숙사에 살고 있던 나는, 온 기숙사생들이 전부 쓰는 번호를 알려 준다는 게 여간 부담스러운 게 아니었다. 나는 아까부터 벼르던 복수를 할 수 있다고 생각했다. 결국 끝 번호만 살짝 바꾼 번호를 건넸고, 통쾌한 기분으로 자리를 뜰 수 있었다.

"한미숙 씨, 전화 왔습니다."

기숙사 내 방송이 울렸다. 나는 재빠르게 1층으로 내달렸다. 남편이었다.

"박정근입니다. 기억하시죠?"

순간 아무 말도 할 수 없었다.

"적어주신 번호가 틀리더라고요."

"아, 그랬나요? 제가 실수 했나 봐요."

당당하게 위기를 모면했다. 그리고 자연스럽게 다음 약속을 잡을 수밖에 없었다.

그 후로도 우리는 자주 만났다. 그제야 찬찬히 훑어보니, 잘생긴 얼굴에 성실하고 겸소한 1등 남자였다. 2남 6녀 대가족이라는 것조차 흠이 되지 않았다. 주변에서는 고생길이 열리는 거라며 말렸지만, 내 결정은 꿋꿋했다. 지금도 남편은 그때 결혼 말린 친구들의 이름을 대라며 농담처럼 묻곤 한다.

순탄하기만한 신혼은 아니었다. 나는 폐결핵에 걸리고 말았다. 2개월 동안 주사를 맞고, 9개월 동안 약을 먹으면 완치는 되는 병이었다. 하지만 그 당시 내 몸에는 아기가 자라고 있었다. 끔찍한 선택을 할 수밖에 없었다. 남편에게 미안했다. 선택의 여지가 없었던 것이다.

"난 당신이, 먼저야."

망설임, 원망 없이 나만을 생각해 준 남편이었다.

시골에 살던 나는 매일 승용차로 30분 정도 떨어진 거리에 있는 종합병원을 다니게 됐다. 2달 동안은 꼬박꼬박 주사를 맞아야 했다. 매일 주사 바늘이 꽂힌 양쪽 엉덩이는 언제부턴가 주사 바늘을 이기기라도 할 듯이 단단해져버렸다. 찜질로 효과를 보는 것도 한계가 있었다.

하루는 엉덩이가 너무 쓰라려, 병원에서 난폭 후진으로 차를 빼다 지나가던 차와 부딪치고 말았다. 놀란 가슴을 쓸어내릴 틈도 없었다. 차밖에 나와 더 놀라운 상황을 마주했기 때문이었다. 상대방 차 운전석 문이 심하게 부서졌는지 조수석으로 건장한 사내가 한명도 아닌 넷이나 내리고 있었다. 잔뜩 겁에 질린 나는 눈을 질끈 감아버렸다. 남자들이 다가오는 게 느껴졌다. 지원군 하나 없이 전쟁을 마주하는 일병 병사의 마음이 된 것만 같았다.

'설마 죽겠어?'

나는 속으로 마음을 가다듬고 문을 열고 그들을 향해 걸었다. 다리에 힘이 풀렸지만, 엉덩이가 아파서라고 생각하자 다리에 다시 힘이 들어갔다. 어떤 욕이 먼저 쏟아질까 먼저 생각했다. 남자는 천천히 입을 열었다.

"아가씨, 어디 다친데 없어요? 여기 간호사인가?"

반전 드라마 같은 상황이었다. 심한 욕설을 먼저 생각해 겁부터 낸 게 억울할 정도였다. 쓸데없는 기우일 뿐이었다. 다시 정신을 차렸다. 그리고 작게 "네."라고 거짓 답을 해버렸다. '차라리 여기 간호사라고 하면 봐줄지도 몰라.'라는 생각이 들었다.

"아가씨, 어디 다친 데는 없는 거 맞죠?"

"얼마나 놀랐겠어."

내가 가해 차량이라는 걸 나조차도 잊을 뻔 했다. 네 명의 남자들은 나와 전쟁을 치르려고 온 적군이 아니라, 지원군 같은 사람들이었다. 나는 상대방 4명의 남자들과 화기애애한 분위기 속에서 다치지 않은 서로의 몸을 재차 확인했다.

“차는 보험처리 하면 되니까, 걱정 마세요.”

“우리 같은 사람들 만나서 다행이죠?”

정말 다행이었다. 나는 떠나는 차 뒤꽁무니에도 연신 감사하다고 외쳤다. 그들이 떠나고 나자 다리에 힘이 풀려 버렸다. 버스를 타고 집으로 돌아가면서 무사히 집으로 돌아가는 승리군이 되는 기분을 맛보기도 했다. 벌써 20년도 더 된 이야기다. 요즘 같은 세상에는 꿈도 못 꿀 행운이었다.

어떤 정신으로 언제 남편한테 연락을 했는지 모른다. 이미 남편은 집에서 나를 기다리고 있었다. 나는 ‘앗 차!’ 하고 정신이 번쩍 들었다. 분명 만만치 않은 수리비가 나올 게 뻔했다.

“다행이야. 운이 좋았던 거야! 하나도 안 다쳤으면 됐어!”

오히려 나를 안심시키며, 이 사건을 거울삼아 안전 운전을 하라는 남편을 어떻게 미워할 수 있을까? 정말 그 사건에 대해서는 이후로도 가타부타 하지 않았다.

사고 이후 버스를 타고 다니며 치료를 무사히 마쳤다. 내가 치료받는 동안 남편은 늘 긍정적인 말들로 내 병 치유에 도움을 줬다. 단 한 번도 내 병에 대해 불평을 말한 적도 없었다. 오히려 매일 혼자 통원 치료를 받는 나를 안타까워하며, 같이 가 줄 수 없음에 미안해했다.

이런 남편의 마음 때문이었을까? 내 몸은 빠르게 건강해졌고, 아이들을 좋아하는 남편에게 네 명의 아이를 선물해 줄 수 있었다. 한 해에 한 명씩, 딸 셋을 낳았다. 마치 세쌍둥이를 키운다고 해도 과언이 아닐 정도로 힘든 육아 생활이었다. 게다가 막내딸과 7년 터울로 태어난 아들까지, 육아는 끝이 없었다.

힘이 부치는 육아 생활에도 남편은 단 한 번도 아이들에게 무표정한 얼굴이나, 화난 표정을 지은 적이 없었다. 아무리 내 자식이라도 짜증나는 일이 있을 법도 한데, 남편은 무더운 여름날에도 아이들에게 차례차례 무릎을 내주는 자상한 아빠의 롤모델이었다.

큰딸이 9개월 때였다. 환절기에 그만 감기에 걸려 버렸다. 딸아이는 코가 막혀 숨을 제대로 쉬지 못했다. 쇅쇅 거리는 딸아이 숨소리에 마음이 아플 수밖에 없었다. 남편도 내 생각과 같았는지, 갑자기 딸을 들어 안았다. 그리고 남편은 입으로 딸의 코를 빨았다. 막힌 코를 뚫어 주는 거였다.

작은 아이지만 분명히 코 안에는 코딱지도 들어 있었을 텐데, 남편은 아무렇지도 않은 듯 침 한번을 뱉고는 끝이었다. 죽었다

깨어나도 나는 상상도 못할 일이었다. 딸을 얼마나 사랑해야 이런 행동이 스스럼없이 나오는지 엄마인 나도 놀라지 않을 수 없었다.

아이들 사랑은 시간이 지난다고 변하지 않는다. 지금 초등학교 3학년인 아들은 남편의 무릎을 소파라고 부른다. 남편은 매번 소파처럼 안락한 무릎을 아들에게 내준다. 터울이 긴 막내라 그런지 남편은 아침마다 막내아들의 방에 들어가 아이의 팔, 다리를 열심히 주무르고 식탁 앞으로 데리고 나온다. 어린 아들은 이런 아빠의 정성을 아는지 모르는지 그저 당연하게만 생각하고 있는 것 같다.

이런 남편의 모습은 주변에서도 칭찬이 자자하다.

"민경 엄마는 뭔 복이 이렇게 많아? 이런 가정적인 남편은 내 주변에 민경 아빠밖에 없다니까."

나는 남편을 칭찬하고 싶기 보다는, 자신의 남편, 아빠라는 위치에서 최선을 다하는 모습이 보기 좋다고 표현하고 싶다.

하지만 남편도 사람인지라 한 번도 실수가 없었던 것은 아니다. 둘째 아이가 돌도 채 안됐을 때였다. 그 해 겨울은 유난히 눈이 많이 내리고 추웠다. 갑작스럽게 아이에게 열이 올랐다. 문밖은 심한 눈보라가 몰아치고 있었다. 아이를 데리고 병원을 가는 일은 불가능해 보였다.

마침 토요일이라, 일찍 퇴근하는 남편에게 전화를 걸었다. 아이의 증세를 세세하게 알려 주고 꼭 약을 사오라고 신신당부를 했다. 하지만 남편은 그날 연락두절인 채 집에 들어오지 않았다. 처음에는 늦는 구나라고만 생각하다가도, 혹시라도 이 눈보라에 사고라도 난 건 아닌지 걱정이 되기 시작했다. 핸드폰도 없던 시절 그렇게 하얗게 밤이 지나가고 있었다.

남편이 아이의 약을 들고 집에 들어온 건, 새벽 네 시였다. 남편은 아이의 약만 들고 온 게 아니었다. 술 냄새까지 잔뜩 매달고 집에 들어왔다. 참을 수 없는 분노가 터져 나왔다. 나는 아이를 들쳐 업었다. 그리고 뒤도 돌아보지 않고, 그 길로 택시를 잡아타고 친정집으로 향했다.

남편은 다음날 오후 늦게 친정집에 찾아왔다. 정말 미안하다며 손이 발이 되도록 싹싹 비는 남편의 사과를 못이기는 척 받아 줄 수밖에 없었다. 그래도 생각해 보면, 이렇게 긴 시간 중 내 속을 썩인 일이 그 한 가지라는 게 대단하다고 생각한다.

본인도 얼마나 사고 싶은 것, 먹고 싶은 게 많을 텐데, 단 한 번도 모임에서 내는 회비 말고는 돈을 쓰는 일이 없다. 그도 그럴 것이 남편은 오로지 혼자 여섯 식구의 생활을 책임지고 있다. 게다가 남편은 내 아이들을 키우는 게 돈보다 더 소중한 거라고 늘 강조해왔기 때문에, 내가 직장을 다닌다는 건 꿈도 못 꿀

일이었다. 여유 없이 달리는 남편의 삶에 나는 이유 없이 마음이 찡해지곤 한다.

우리는 어느새 결혼 21주년을 맞이했다. 아이들은 무럭무럭 자라났고, 첫째와 셋째는 국악을 전공한다. 그냥 평범한 교육을 시키기에도 빠듯한데, 두 아이가 예술을 하니 남편의 어깨가 더 무거워 보일 뿐이다.

하지만 남편은 늘 불끈불끈 힘이 솟는 마징가Z라도 되는 것처럼, 힘든 내색을 안 한다.

아이가 셋인 어느 집에서 이런 말을 했다고 한다.

"아이가 셋이니까, 피자를 두 판 시켜도 난 냄새밖에 못 맡는다니까!"

남편은 가만히 앉아. "아니, 냄새라도 맡는 게 어디에요? 전 냄새도 못 맡아요. 아이가 넷입니다."라고 대답했다고 한다.

이런 농담이 오고 갔다는 얘기를 전해 듣자 마냥 같이 웃을 수만은 없었다. 유통 기한이 지난 요구르트를 먹으면서도 "드디어, 내 차례도 오는군!" 이라며 털털하게 웃어 넘겼던 남편이었기 때문이다. 남편 누나는 아직도 좋은 음식을 차리면 남편에게 먼저 권한다. "어디, 네 집에서는 네 입까지 차례가 오겠니?"

남편이 하는 헌신은 나와 아이들에게만이 아니었다. 유난히 병치레가 많아 병원을 자주 드나들었던 시댁 부모님께도 단 한

번도 싫은 내색 한 걸 본적이 없었다. 듣기에는 당연한 일이지만, 이게 어디 쉽게 할 수 있는 일인가.

남들은 남편을 '남의 편'이라고도 부른다. 나는 그런 남편을 든든한, 영원한 '내 편'으로 바꿔 부르고 싶다. 그동안 늘 내 편으로 든든하게 옆 자리를 지켜 주던 남편이 있기에 오늘의 글 쓰는 행복도 있지 않을까 싶다.

첫 보물 큰 딸

“아기 머리가 커서 예정일을 2주 앞당겨 유도 분만을 해야 할 것 같습니다.”

첫째 민경이의 출산일이 코앞이었을 때, 의사 선생님이 하신 말씀이었다. 분만 예정일까지 기다리면 아이 머리가 너무 커져서, 자연 분만을 하지 못할 수도 있다고 했다. 나와 남편은 수술을 피하기 위해 예정일보다 2주 앞당겨 병원을 찾았다. 첫 아이를 안전하게 내 품에 안고 싶었다.

날 선 바람이 부는 2월이었다. 우리 부부는 바람을 헤치고 이른 아침부터 입원 수속을 마쳤다. 그리고 아이를 낳기 위해 유도 분만 주사를 맞았다. 3번의 주사까지 아무 반응이 없던 내 몸은 4번째 주사부터 진통이 시작되었다. 진통은 오후 4시까지 이어졌다. 더 이상 참을 수 없을 만큼의 고통이 왔을 때, 나는 분만실로 옮겨졌다.

아기의 머리가 얼마나 큰지 도통 나올 생각을 안 했다. 급기야는 아기의 산소량이 떨어져 빨리 출산하지 않으면 위험하다는 다급한 말들이 들려왔다. 두 명의 간호사는 내 배 위에 체중을 실어 아기를 밀어 내리고, 의사 선생님은 아기 머리 쪽에 흡입기를 대고 힘껏 잡아 당겼다. 하지만, 아이의 머리는 좀처럼 나오지 않았다.

나는 하늘이 점점 노랗게 변하다, 결국엔 앞이 깜깜해졌다. 다시 해 보자는 의사 선생님의 목소리가 들렸다.

"한번만 더 힘주세요. 하나, 둘, 셋."

그제야 큰딸 민경이의 힘찬 울음소리가 분만실에 울려 퍼졌다. 나도 모르게 곡소리가 났다. 어렵게 세상 밖으로 나온 아이는 흡입기 때문인지, 머리에 작은 상처가 나 있었다. 흡입기를 따라 모아진 솜털 같은 머리카락이 마치 갓 뽑은 무처럼 보였다. 나는 아기를 안았다. 붉고, 쭈글쭈글한 아기의 얼굴을 얼마나 쳐다봤는지 모른다. 그저 건강하다는 것만으로도 행복했다.

어렵게 세상 밖으로 나와 울음을 터트린 민경이는 보통의 또래 아이들과 같았다. 내 지독한 결벽증과 공부하라는 잔소리에도 고등학교까지 말썽 하나 없었다. 그러던 어느 날이었다. 민경이는 갑작스러운 폭탄선언을 했다. 학교에서 하는 사물놀이 동아리 활동을 전공으로 살리고 싶다는 것이었다. 그동안 없었던 작은 사건들을 모아서, 한번에 터뜨린 것 같았다. 남들은 뭐가 그리 대수냐고 하겠지만, 이미 민경이는 인문계 고등학교에 진학한 후였기 때문에 어떻게 예술 관련 전공을 살릴 수 있을지 고민이 아닐 수 없었다.

나는 주변의 지인과 대화를 하고, 직접 사물놀이를 전공하는 분들에게 자문을 구하기 시작했다. 여기저기의 의견은 달랐지만, 한 가지 만큼은 공통적이었다. 이미 늦었다는 것이었다. 그리고 여자가 하기에는 고된 체력 소모로 금방 나가떨어질 것이라는 말들 뿐이었다.

나는 그들의 말을 핑계 삼아 민경이에게 허락하지 않는 이유를 설명했다. 그때는 그 일이 아이의 꿈을 꺾는 거라 생각지도 못했다. 이제와 생각해보니 나는 그 많은 사람들에게 딸아이의 꿈을 얘기하면서, 정작 딸에게는 어떠한 계획도 묻지 않았다. 오로지 늦었다고 생각하는 나와, 나의 의견을 따르는 사람들의 의견을 내세운 것이었다.

당시 민경이는 나의 마음을 이해하는 것 같았다. 어쩌면 민경이가 나를 이해한다고 내 식대로 믿은 걸지도 모른다. 겉으로 보기에는 잘 봉합되어 아무 흉터 없이 나은 상처라고 믿었다. 하지만 나는 그 안에 곪은 고름을 미처 살펴보지 못했던 것이다.

민경이의 방을 청소하며 우연히 한 권의 노트를 발견했다. 별 생각 없이 펼친 노트에는 이렇게 쓰여 있었다.

"내 마음도 몰라주는 엄마는 바보."

"진심으로 나를 바라봐 주지 않는 엄마는 더 바보."

"나를 믿지 않는 엄마."

한쪽 가슴이 무너지는 느낌이었다. 심지어 아이는 노트 한 켠에 삶의 희망이 없다는 말까지 써내려갔다. 가슴은 무너지는 거에서 끝나지 않았다. 누군가 심장을 꺼내 쥐어짜는 것만 같았다.

나도 딸아이의 가슴을 이렇게 쥐어짠 것일까. 눈앞에 있는 구겨진 노트만큼이나 구겨져 있을 아이의 꿈에 대해 생각하게 됐다. 멍해진 정신을 겨우 가다듬고 민경이를 기다렸다. 여전히 축 늘어진 어깨로 집 안에 들어선 민경이었다. 나는 민경이에게 물었다.

"민경이는 뭐가 하고 싶어?"

딸아이는 어리둥절한 표정이었다. 나는 차마 노트를 봤다고는 말하지 못했다. 하지만 아이는 눈치챈 것 같았다. 마치 기다렸던 시간이 온 것처럼 폭발해버렸다.

"단 한 가지야. 사물놀이를 배우고 그걸 통한 공연 기획으로 더 다양한 무대에 서고 싶어."

아이의 말은 뚜렷했다. 처음으로 들은 아이의 단호한 말투였다. 민경이의 진심을 왜 난 이제야 알게 됐을까. 아이의 두 눈에 물방울이 맺혔다.

"내가 지금 가장 행복하다고 생각하는 일은 그것뿐이야."

맺힌 눈물이 흐르기 시작했다. 아이의 꿈에 대해서 물어 본적은 처음이었다. 나는 사실 처음부터 아이의 꿈을 배려한 적이 없었다. 그저 내 생각의 둘레 속에 아이를 가둬 두었을 뿐이었다. 내 발등을 내가 찍은 느낌이었다.

"늦었다고 생각할 때가 가장 빠르다."라는 말을 믿어야 했다. 나 때문에 아이의 귀중한 1년을 버리게 만들었다는 것을 자책하기도 했다. 나는 아이의 꿈을 정확하게 알게 된 이상, 끝까지 아이의 꿈을 믿고 도와주기로 했다.

아이는 나와 어떤 약속을 한 적도 없었다. 아이는 내가 열심히 해야 한다고 닦달 할 필요도 없이, 지치지도 않고 배웠다. 아이의 모습에 놀랄 수밖에 없었다. 스스로 하고자 하니 전혀 망설임 없이 전진만 할 뿐이었다.

그해 학교 축제에 '설장구'로 단독으로 무대에 올랐다. 나는 아이의 빠른 손놀림에 놀라서 박수를 쳤다. 다른 사람들도 마찬가지였다. 작은 여자아이가 뿜어내는 에너지에 매료되어 감탄사를 연발했다. 나는 다시 한 번 아이의 시계를 느리게 만들었던 것에 자책을 느낄 뿐이었다. 민경이가 직접 꾸몄다는 '新 콩쥐팥쥐전'은 축제의 대상까지 거머쥐었다. 연출에서 대본, 기획까지. 민경이의 손이 하나부터 열까지 닿은 작품이었다. 반 아이들이 등장하는 7분 정도의 짧은 연극이었지만, 대사부터 기획까지 어느 하나 부족하지 않은 작품이라는 칭찬을 받았다. 나는 아이의 가능성과 꿈을 향한 즐거움을 눈으로 직접 확인하며 응원을 멈추지 않았다.

남들보다 늦은 탓에 열심히 했던 민경이었다. 하지만 민경이는 입시를 앞두고 무릎 골절로 고생을 해야 했다. 다른 사람보다 더 연습할 시간이 모자랐을 텐데도 꾸준한 물리 치료를 받고 게을러질 틈 없이 달렸다.

그 결과, 지금 대학교 1학년이 되었다. 국악을 전공하며 기획과 작곡까지 섭렵하기 위해 여전히 하루가 모자라게 달리고 있다.

태어날 때부터 울음을 터트리기까지 시간이 걸렸던 큰 아이다. 꿈을 향한 길이 혹시라도 늦은 건 아닐까 하는 내 염려와는 다르게 자신의 길을 잘 걷고 있어 다행이다. 내가 잘 못 생각했던 걸 민경이 스스로 무마시켜 주고 있다는 기분마저 든다.

내 책의 캘리그라피는 민경이의 작품이다. 이런 작은 재주마저 나를 감동시키는 아이다. 내 욕심일 수도 있지만, 나는 늘 아이의 꿈을 응원하는 엄마로 남고 싶다. 뭐든지 다 해 줄 수는 없지만 아이들 곁에 남아 응원하는 엄마이고 싶다. 그럴 수 있다는 믿음의 원천은 바로 내가 아이들을 사랑하는 마음이 있기 때문이다.

오늘도 여전히 우리 아이들을 더욱 사랑하게 되는 날이다.

지금의 민지는 다방면에서
팔방미인이다
태어날 때부터 예뻤던 얼굴처럼
이제는 스스로 하는 활동마다
예쁜짓뿐이다

더 큰 보물 둘째 딸

첫째를 낳고 일 년 조금 지나서 둘째가 태어났다. 6월의 좋은 날씨 덕분이었을까. 흡입기가 필요했던 첫째와는 다르게 수월하게 내 품에 안기게 됐다. 아이는 뽀얀 피부에 인형 같은 외모를 가졌다.

"어머! 이 어린 게 얼굴도 참외만하고 까만 머리칼까지!"

주변 사람들 눈에도 이렇게 예쁜 둘째는 내 눈에 백설 공주처럼 보일 수밖에 없었다.

"아니, 그게 아니라. 민지는 미스코리아 나가야 되겠어."

정말 아닌 게 아니라, 둘째를 업고 나가면 모두들 예쁘다며 한 번씩 말을 걸었다. 남편과 나는 매일매일 구름 위를 걷는 것만 같았다. 민지가 곧바로 미스코리아가 될 것만 같았다. 유치원 때부터 크면 민지와 결혼 하겠다는 남자 아이들이 줄을 설 정도였다. 민지는 고등학생이 된 지금도 그 아이들의 이름을 외우고 있다.

나는 세 딸을 키우면서 교육면에서는 강한 울타리를 만들었다. 지금은 아이들이 학교 공부 외의 다른 취미 생활을 하고 실력을 쌓고 있지만, 초등학교 때까지는 어림없는 일이었다.

아이들에게는 늘 같은 문제집이 두 권씩 있었다. 한 권은 똑같이 푸는 문제집이고, 다른 한 권은 틀린 문제를 놓치지 않게 하기 위해 다시 풀어야 하는 문제집이다. 시험 전날까지 총정리 문제집을 두 권 다 풀어야 잠을 잘 수 있도록 했다.

시험 당일에는 아침까지 어제 틀렸던 문제들을 다시 보여 주고 확인했고, 시험 끝나고 돌아온 아이들에게는 시험 점수부터 캐물었다. 그 당시 나에게는 아이들의 점수가 인생 점수표처럼 보였다.

"무조건 백점을 맞아야 하고 틀린 문제는 다신 틀리지 말아야 해."

나의 욕심 안에서 아이들이 힘들어 했던 때를 생각하면, 아직도 미안한 마음이 든다. 내가 만든 기준 속에서 아이들을 많이 지쳤을 터였다. 어떤 것을 왜 좋아하는지를 먼저 물었다면 아이들도 좋아했을 텐데 말이다.

아이들의 성적은 초등학교 내내 좋았다. 내 극성 때문인지 늘 백점짜리 시험지를 들고 왔다. 반에서도 늘 1, 2등을 타툴 정도였다. 어쩌면 아이들의 성적 때문에 나는 더욱 아이들에게 똑같은 교육을 강요했는지도 모른다. 내가 하는 일이 정답이고, 아이들에게 도움이 될 것이라는 나만의 환상을 갖게 된 것이다. 특히나 둘째는 4학년부터 거의 1등자리를 놓치지 않았으니 내 방법이 결론적으로는 정답이라고 생각할 수밖에 없었다.

이런 내 교육 방식이 잘못됐다고 느끼게 되기까지 오랜 시간이 걸리지 않았다. 내 극성에 발맞춰 우등 초등학생 시절을 보낸 아이들은 중학교에 들어가자 성적이 떨어지기 시작했다. 기대에 못 미치는 성적 앞에서 당혹감을 감출 수 없었다.

초등학교나 중학교나, 같은 방식의 공부라고 생각할 수도 있다. 하지만 아이들이 스스로 하지 않았다는 것, 혼자서 공부하는 법을 모른 채 중학교로 올라가서 때문인지 성적이 오를 기미는 보이지 않았다.

같은 배에서 나온 아이들이지만, 각각 다른 성격과 생각이 있었다. 나는 아이들에게 같은 옷을 입히는 것처럼 똑같은 교육과 방법을 택했고, 그걸 강요했다. 그 강요는 물론 나만의 방식이었다. 내 만족감을 위해 아이들은 똑같은 옷을 입듯이 똑같이 행동하도록 했던 것이다. 초등학교와 다른 중학교의 수업 방식에 아이들은 어떻게 해야 할지 갈피를 잡지 못했다. 나조차도 순간적으로 잘못됐다는 것만 인지했지, 어떻게 방향을 잡아 줘야 하는지 막막했을 때였다.

나는 아이들이 할 수 있는 일, 하고 싶은 일에 귀를 기울였다. 초등학교 때까지 그림을 꽤 잘 그렸던 민지는 그림을 취미로 삼아 아직도 꾸준히 연습하고 있다.

민지 또한 나의 억척스러운 학구열에 발맞추었고, 지금은 스스로 열심히 하는 법을 깨달았는지 내가 공부하라는 잔소리를 하기 전부터 책상에 앉아 있다. 심지어 자신만의 목표를 정하고 그 점수를 언제까지 하겠다는 구체적인 계획까지 있는 것을 보니, 예전의 내 모습이 더 쑥스러워졌다.

'아이를 믿고 맡겼다면 더 일찍 좋아하는 일을 찾고 배웠을 텐데……. 난 왜 내가 시키는 공부가 전부라고 생각했을까.'

하는 아쉬운 마음이 들기도 한다.

둘째는 고등학교에 입학하고 난 뒤부터 학교 활동에 적극적인 아이가 되었다. 입학하자마자 학급 부실장이 되었고, 간부 수련회를 다녀오자 더 활발하게 활동했다. 한 학기 동안 아이들의 마음을 어떻게 얻었는지, 학년이 오르자 실장이 되었다.

"아예 전교 학생 회장을 해보는 건 어때?"

나의 농담에 슬며시 웃음을 흘리는 걸 보면 마음이 없는 것도 아닌가 보다.

민지가 하는 학교 활동은 이것뿐만이 아니다. 교내 밴드 동아리 활동을 통해 드럼을 배우기도 했다. 처음에는 뜬금없는 밴드 활동에 놀라기도 했지만, 문화센터 수업을 통해 통기타까지 배우는 아이를 보면, 내가 아이가 좋아하는 걸 제대로 몰랐구나 싶다. 문화센터에서 꾸준히 배운 기타 실력으로 교내 팝송 대회에서 1등을 거머쥐기도 했고, 근래에는 교내에서 열린 "흡연과 약물 오남용 예방"이라는 공모전 시 부문에서 동상을 타기도 했다.

딸 자랑에는 하루 며칠 밤을 새워도 시간이 모자라다. 물론, 난 둘째 민지가 무언가를 잘한다는 게 제일 큰 기쁨이다. 하지만 더 큰 기쁨은, 활발하게 학교생활을 하며 자신이 좋아하는 일을 열심히 한다는 것이다.

민지는 나를 닮았는지 결벽증이 있다. 가족이라 할지라도, 본인 컵 외에는 입을 대지 않는다. 바깥 공중화장실을 쓴다는 건 절대 있을 수 없는 일이다. 안 나가는 날에는 안 씻을 수도 있으련만, 밖에 나갈 일이 없어도 꼬박꼬박 샤워를 하고 머리를 감는 아이다. 이런 결벽증 때문인지 본인 물건에 그 누구도 손을 대면 한바탕 난리가 나기도 한다.

이런 결벽증 때문인지 어디를 가도 내 딸이라는 걸 쉽게 눈치 챌 수 있다.

민지는 늘 말한다.

"난 샌드위치야. 둘째. 첫째도 막내도 아닌 둘째."

아마 민지는 위의 언니와 아래의 동생 사이에서 엄마, 아빠의 사랑을 덜 받는다고 생각을 하는 것 같다. 물론, 나는 그때마다 아이에게 사랑한다는 표현을 서슴지 않는다. 나는 민지가 즐거운 일과 특기를 스스로 찾은 만큼 이번 심통에도 스스로 답을 찾을 수 있을 거라 생각한다. 세상 어느 엄마, 아빠에게 있어서 사랑하는 자식 순위라는 건 없다. 늘 모든 자식들에게 무한대의 사랑을 주고 있다.

가끔 예전 성적에 대한 기대심으로, 특히나 민지에게 공부에 대해 잔소리를 했던 적이 있다. 아마 아이는 그 일로 더 상처 받았을 지도 모른다. 그래서 샌드위치라는 표현을 쓰면서 자신의 위치가 다른 형제들보다 더 아래에 있다고 생각하는 것 같기도 하다. 내가 줬던 부담이 아직 아이의 마음에 남아 있는 걸까 의심하기도 한다.

지금의 민지는 다방면에서 팔방미인이다. 태어날 때부터 예뻤던 얼굴처럼 이제는 스스로 하는 활동마다 예쁜짓뿐이다. 나는 그 어떤 일에서도 아이들이 1순위이고 아이들 편이다. 이런 내 마음을 아이들도 알고 있을 거라 생각한다. 샌드위치라고 생각하는 민지도 말이다.

칭찬을 아끼지 않았다

나는 늘 대단하다며

행동이라는 생각에

자신의 노력을 알아달라는

매번 보여준다

훈장이라도 되는 것처럼

굳은살이 잔뜩 박인 손바닥이

마지막 보물
셋째 딸

"딸입니다."

셋째가 세상 밖으로 나올 때, 들은 말이었다. 이미 짐작한 일이었다.

나는 맏며느리라는 부담감에 다시 한 번 고개를 숙일 수밖에 없었다. 내심 아들을 기대한 건 사실이었다. 첫째, 둘째 그리고 셋째까지. 단 한 번의 실수도 없이, 50%의 확률 속에서 100% 적중률로 딸을 출산하게 되었다. 세 아이 모두 연년생이었다. 3년 연속의 출산으로 몸이 지쳤는지, 셋째에게 아쉬운 마음이 더 컸다.

산후조리를 위해 입원을 했다. 입원실에는 나보다 몇 시간 앞서 출산한 산모가 한 명 있었다. 같은 아픔을 겪은 동료였다.

"어디에서 오셨어요?"

내가 먼저 물었다.

"진안에서 왔어요."

당시 나는 진안 시골에서 거리가 떨어져 있는 전주 종합 병원까지 온 거였다. 동네 주민을 한 입원실에서 만나게 된 것이었다.

"전 셋째예요."

"어머? 저도요."

우리는 함께 진안에 살고, 전주까지 와서 셋째를 출산하게 된 산모였다. 내 궁금증은 멈추지 않았다.

"딸이에요? 아들이에요?"

산모는 실망스러운 표정이 되더니 아들이라고 작게 대답했다. 나라면 온 병원이 떠나가라 말했을 일이었다. 알고 보니, 나는 줄줄이 딸이었고. 그 산모는 반대였던 것이다. 하늘도 참 무심하다고 느꼈다. 서로가 원하는 성별을 이렇게까지 뒤바꿔놓다니 말이다. 우리는 서로 사돈을 맺자는 농담까지 주고받았다.

여느 산후조리 음식 중 제일은 미역국이라고 했던가. 입원 내내 매 식사 때마다 미역국이 나왔다. 미역국을 계속해서 남기는 옆 침대 산모와 다르게 나는 양푼으로 한가득 나온 미역을 국물까지 싹싹 비웠다. 내 주책 맞은 식욕은 내 양푼을 다 비우고도 모자라, 옆 산모가 남긴 미역국까지 눈길을 돌렸다. 아직도 양푼을 보면, 한가득 담겨있던 미역이 떠오른다. 그때의 미역국 맛이 쉽게 잊히지 않는다.

셋째가 딸이라는 실망감은 오래가지 않았다. 어디 내놓아도 부족하지 않은 내 딸이었다. 그러던 어느 날 셋째 민희는 첫째와 똑같이 선포를 했다.

“엄마, 나 해금 전공하고 싶어. 예고 갈래.”

큰딸은 고등학교 동아리 활동으로 사물놀이를 했고, 그 재미로 대학 전공을 하고 싶다고 했던 터라 이해하지만, 셋째의 이런 말은 도통 이해가 되지 않았다. 아닌 밤중에 홍두깨 같은 소리라고 생각했다. 하지만, 이미 나는 큰 딸의 시간을 1년이나 늦춘 일이 있었기에 콩닥콩닥 뛰는 가슴을 진정시키고 말했다.

“우선, 생각을 더 해 보자. 한 달 더 시간을 가져보고 그 이후에도 여전히 하고 싶다면 그때 시작을 하는 게 나을 것 같아.”

이해하기 힘든 일인지 이해할 수밖에 없는 일인지 헷갈렸다. 큰딸은 사물놀이, 작곡, 공연기획 꿈을 키우며, 바이올린까지 곧잘 한다. 둘째는 통기타에 드럼, 요즘 새롭게 시작한 전자기

타까지 점령하겠다고 나섰다.

이런 언니들의 영향이었을까. 한 번도 음악에 관심 갖지 않았던 민희가 해금을 하겠다고 하자, 응원을 해야 하는지 헷갈렸다. 난 아이들의 결정이 늘 헷갈리기만 할 뿐이었다. 물론, 셋째도 악기를 제법 다룰 줄 알았지만, 해금은 다룬 적이 없었다. 나는 내가 아이들을 임신했을 때, 음식이 아닌 악기를 집어 삼켰나, 라고 생각했을 정도였다.

사실 당장 현실적으로 고민된 건 과외 비용이었다. 그래서 내심 한 달 뒤 아이의 마음이 바뀌길 바랐다. 하지만 아이의 의지는 그대로였다. 나는 더 생각할 것도 없이 첫째의 선생님을 통해 해금 선생님을 소개 받았다. 고입 실기까지 5개월이란 시간밖에 남지 않았을 때였다.

아이가 공부하는 해금 악보를 살짝 들여다 본적이 있었다. 믿기로 했지만, 걱정이 앞서는 건 어쩔 수 없었다. '어려워 보이는데, 잘 할 수 있을까?' 계속해서 같은 고민뿐이었다. 하지만, 선생님은 민희가 받아들이는 속도가 남과 다르다며 늘 칭찬뿐이었다. 아이는 학교 수업과 해금 연습까지 피곤할 수도 있을 텐데, 단 한 번노 투정 없이 수업을 따라 간다.

굳은살이 잔뜩 박인 손바닥이 훈장이라도 되는 것처럼 매번 보여준다. 자신의 노력을 알아달라는 행동이라는 생각에 나는

는 대단하다며 칭찬을 아끼지 않았다. 남들보다 짧은 시간 해내야 하는 자신과의 싸움이었다.

실기 시험 당일까지 연습을 놓지 않던 아이는 당당하게 예술고등학교에 합격했다. 다른 아이들보다 더 일찍 일어나 학교에 가야했지만, 처음 해금을 배웠던 때처럼 투정 한 번 없다.

"엄마, 나 6월 연주회까지 계속 연습해야 해서, 투정부릴 시간도 없어."

아이가 투정까지 미뤄가며 준비한 연주회는 대단하다는 말밖에 나오지 않았다. 그 자리에 있는 누구나 마찬가지였겠지만, 80명 인원이 합주 하는 내내, 나는 내 딸아이의 활기찬 얼굴과 손밖에 보이질 않았다. 벌떡 일어나, 굳은살이 박인 손바닥을 쓸어 주고 싶은 심정이었다. 이렇게 또 하나의 열매를 맺은 딸아이였다.

요즘엔 성적에도 욕심을 갖고 장학금을 목표로 열심이다. 아이들이 이렇게 잘 자라나고 있는데, 나는 왜 매번 걱정과 고민만 했는지 모르겠다. 어떤 엄마라도 나와 같은 고민을 했을 테지만, 아이들의 일은 스스로 풀 수 있도록 만들어 주는 게 최고가 아니었나 싶다.

이렇게 차례대로 시작된 아이들의 악기 사랑에 넷째까지 그러면 어떡하나 싶었다.

"아들! 너도 국악 전공하고 싶거나, 악기 다루고 싶으면 미리 말해야 해. 한 살이라도 어릴 때 하자."

아들은 시큰둥한 반응이다. 자라보고 놀란 가슴 솥뚜껑보고 놀란다더니, 요즘 딱 그렇다.

줄줄이 딸을 낳고, 셋째까지 딸 아이었을 때 느낀 감정들에 후회를 느낀다. 딸, 아들 할 것 없이 미우나, 고우나 내 새끼라는 걸 그때는 왜 잠깐 잊었나 싶다.

신이 준 선물 막내아들

"아빠 코를 닮아 오뚝하니 잘 생겼네요."

넷째를 임신했을 때, 의사 선생님이 하신 말씀이다. 셋째를 낳고 7년 만에 도전한 아이였다.

'아빠를 닮았다고? 잘생겼다고?' 속으로 많은 생각을 했다. 세 명의 딸을 임신했을 때와는 다른 말이었다. 우리 부부는 태명을 사랑이라고 지었다.

사랑이는 태어나기 전부터 말썽을 부렸다. 임신 9개월이 다 되도록 거꾸로 있던 몸이 제대로 돌아오지 않았다. 결국엔 '제왕절개' 라는 방법을 택할 수밖에 없었다. 임신 내내 빈혈과 감기에 시달렸기에 수술 날짜 정하는 것도 쉬운 일이 아니었다.

비록 첫째는 흡입기의 힘을 빌렸지만, 세 아이 모두 자연분만으로 낳았다. 친정어머니의 말대로 정말 순풍순풍 잘도 낳았던 나에게 제왕절개는 겁나는 일이었다.

남편은 잠깐 자고 일어나면 된다며, 내 손을 붙잡았다. 기분이 묘해졌다. 늘 깬 정신으로 아이를 낳다가 수술을 해야 한다니 말이다. 수술실로 들어가서는 기억이 뚝 끊어졌다. 얼마나 잠에 빠져있었을까. 나를 흔들어 깨우는 목소리에 억지로 눈을 떴다. 친정어머니였다.

"아이는?"

"수고했어, 여보. 건강하고 잘생긴 사내아이야!"

기쁨을 감추지 못한 남편이 대신 대답했다. 네 번의 출산으로 얻은 아들이었지만, 나는 의외로 담담했다. 여전히 남아있는 감기 기운과 산후 배앓이로 3일이 지난 뒤에야 아이를 안아 볼 수 있었다. 아들이나 딸이나, 그저 예쁜 내 새끼들이었다. 어떻게 비교할 수 있겠냐만은, 오히려 첫 아이를 안았을 때에 비하면 기쁨이 덜했다.

내가 이토록 아들이길 학수고대한 이유는 바로 시아버지 때문이었다. 시아버지는 늘 말씀하셨다. '아들은 꼭 있어야 한다.'고 말이다. 시아버지와 나는 부녀 사이 같은 게 아닌, 진짜

부녀라고 해도 과언이 아닐 정도로 친밀한 사이였다. 나는 시아버지에게 꼭 아들을 안겨드리고 싶었다. 태민이는 시아버지에게 드리는 선물과도 같았다. 요즘 누가 아들, 아들 하냐고 하지만 가끔은 어른들의 뜻을 따르는 게 효도가 아닌가 생각한다.

시아버지의 귀한 손자는 6개월 때, 말문이 터졌다. '엄마'라고 말한 것이었다. 세 누나들의 영향인지 유난히 숫자를 좋아했고, 태어난 지 1년이 되기 전에 1에서 10까지의 숫자를 터득했다. 세상 모든 엄마들이 느낀다는 '내 아이는 천재였어!'라는 말을 네 번째로 느끼던 순간이었다. 누구나 자라면서 이르기도 늦기도 하는데 이런 일에 감탄이라니……. 아이 셋을 낳고 기른 게 맞나 싶었다.

사실 넷째 아이 돌잔치는 예정에 없던 일이었다. 하지만 네 번 만에 성공한 아들을 자랑하고 싶은 마음이 컸다. 우리는 주변의 권유에 못이기는 척하며 돌잔치를 치르기로 했다. 세 딸에게 똑같은 원피스를 입히고, 태민이와 우리 부부는 같은 색상의 한복을 맞춰 입었다.

돌잔치 장소에 도착하기 전부터 배가 아파왔다. 돌잔치에 신경을 써서 그런가 하고 대수롭지 않게 넘겼다. 미리 도착한 친척에게 인사를 나누고, 행사 진행 사항을 확인했다. 그러는 와중에도 복통은 멈추지 않았다.

태민이의 돌잡이까지 시간이 어떻게 지났는지도 모른다. 복통이 가라앉지 않았다. 더 심해지고 있었다. 나는 돌잔치를 뒤로한 채 병원 응급실로 뛰어갔다. 간단하게 진찰을 받고 약을 받아왔다.

약을 꿀꺽 삼키고 다시 돌잔치로 향했다. 약 기운이 퍼졌어야 하는 시간이었지만, 아픔은 쉽게 가라앉지 않았다. 더 이상 걸을 수도 없었다. 온몸에 식은땀이 흘렀다. 나는 돌잔치를 마무리도 못한 채 다른 병원 응급실을 찾아갔다.

"아무래도, 충수염인 것 같습니다. 수술을 하셔야 하겠는데요."

아들의 돌잔치에 충수염이라니. 이건 또 뭔 일인가 싶었다. 나는 다시 근처 종합병원으로 발을 옮겼다.

"오늘은 수술이 불가능합니다."

검사를 해 봐야 알겠지만, 충수염이 확실하면 수술을 해야 한다고 했다. 하지만, 이 곳에서 수술은 불가능 하다는 얘기였다. 거의 내쫓기듯 병원에서 나와 다른 병원을 찾았다. 제발 마지막 병원이길 바라는 마음이었다.

마지막 병원에서 급성 충수염이라는 진단을 받고 드디어 수술실로 향했다. 아픈 것도 문제였지만, 여기저기 병원을 옮겨 다닌 탓에 몸이 많이 지쳐있었다. 다행이도 가벼운 수술이라, 안전하게 끝이 났다.

돌잔치 중에 생긴 해프닝에 태민이게만 불똥 튀었다. 입원과 약물치료로 인해 모유수유를 할 수 없게 되었던 것이다. 아이에게 마르지 않던 밥통이 사라진 꼴이었다. 아팠던 게 내 탓도 아니지만, 아이에게 미안했다. 하지만 태민이는 그 일이 있은 후로도 젖병을 빠며 건강하게 잘 자라 주었다.

어느덧 아이가 초등학교에 입학하게 되었다. 태민이에게 일이 생긴 건 입학 때부터였다.

태민이는 학교생활에 적응 하는 것처럼 보였다. 단, 3일 동안이었지만 말이다. 4일 째 되는 날부터는 나와 떨어지려 하지 않았다. 유치원은 무리 없이 잘 다니던 아이의 행동에 가족 모두 놀랄 수밖에 없었다.

“엄마, 나 배가 아파.”

아이의 말에 놀라서 병원을 찾아갔다. 의사는 큰 병이 아닌 스트레스성 복통 정도로 예상할 뿐이었다. 계속해서 아프다는 아이를 데리고 2, 3일에 한 번씩 병원을 들렀다. 그리고 매일같이 학교에 데려다 줬지만, 늘 교실 문 앞에서 내 몸에 딱 달라붙어 떨어지기를 마다했다.

나는 딱 달라붙은 껌딱지를 겨우 선생님 곁에 떼어 놓고는 뒤돌아나왔다. 아이의 울음소리가 교문 밖까지 따라 나오는 것만 같았다. 한편으로는 학교에서 어떤 문제가 있는 게 아닐까 싶은 마음에 덜컥 겁이 나기도 했다. 선생님은 내 마음을 눈치챘는지, 내가 가고 나면 얌전하게 수업에 열중하는 태민이의 사진을 핸드폰으로 보내 주시곤 하셨다.

금세 나아질 거라는 주변의 예상과는 다르게 태민이의 학교거부는 나아질 기미가 보이지 않았다. 매일매일 병원에 함께 가고, 겨우 학교에 떼어 놓고, 다시 데리러 가는 게 내 하루의 일과가 되어버릴 정도였다. 답답한 마음에 그 어린 아이를 앉혀놓고는 왜냐고 묻기도 했지만, 뚜렷한 이유를 말하지도 않았다.

종합병원 소아정신과까지 찾아간 적도 있었다. 의사 선생님은 아이가 성장하는 하나의 단계라고 말씀만 하실 뿐이었다. 상담과 검사를 진행했지만, 아이에게는 아무 문제가 없었다. 오히려 지능지수는 또래 아이들보다 높게 나오기까지 했다.

학기말 시험에서는 1등을 해서는 왔다. 웃을 수도 웃지 않을 수도 없는 상황이었다. 선생님 말씀대로 학교생활은 문제가 없는 게 분명했다. 친한 친구들의 이름가지 나열하며 학교에서 있었던 일을 말하는 걸 보면 친구들과의 사이도 좋았던 편이었다. 나는 아무 문제도 없는 태민이의 아침 울음이 저절로 끝나기만을 가만히 기다렸다.

나는 방학기간 동안 태민이에게 혼자 학교를 다닐 수 있다는 약속을 받아냈다. 사실 아이는 내 명령에 고개만 끄덕했을 뿐, 약속을 하지는 않았다. 2학기가 시작될 쯤엔 불안한 마음이 들었다. 역시나 첫 날부터 배가 아프다고 했다.

"태민이, 엄마랑 약속한 거 기억 안나? 약속은 지켜야 하는 거야. 알지?"

내가 바뀌어야 아이도 바뀔 것만 같았다. 태민이는 가만히 앉아 고민을 했다. 아이가 집에서부터 울어버리면 어쩌지 싶은 마음에 가슴이 조마조마했다. 하지만 아이는 "그래. 알겠어." 하고는 집을 나설 준비를 했다.

나는 속으로 얼마나 놀랐는지 모른다. 하지만 겉으로 티를 내지 않으려고 얼마나 애를 썼는지 모른다. 나는 집밖에서 태민이의 모습이 사라질 때까지 기다리고 나서야 집으로 들어올 수 있었다. 혼자 조마조마 했던 1학기의 시간들이 빠르게 스쳐 지나갔다. 결국 아이의 힘으로 극복 할 수 있는 일이었는데 괜한 걱정과 스트레스로 아이를 가둬둔 건 내가 아닐까 생각했다. 이후, 태민이는 독서에 재미가 들렸는지 다독왕 상까지 타오며, 학년 1등의 성적으로 무사히 2학년에 올라갔다.

나는 셋째 아이까지 똑같은 문제집 두 권을 풀게 했다. 틀린 문제를 다시 틀리지 않도록 교육시키기 위한 방법이었다. 하지만, 태민이에게만은 그러지 않았다. 아이의 일을 통해, 스스로

해내는 게 제일 좋은 교육이라는 것은 세 아이를 통해 터득했기 때문이다.

지금 3학년인 태민이는 한자 4급을 올 가을에 꼭 따고 말겠다며 한자 공부에 열을 올리고 있다. 늘 내 생각대로 가르치는 게 최고라고 자만했던 내 생각을 버리자, 아이는 더 쉽게 자신이 좋아하는 일을 찾고, 스스로 잘 할 수 있도록 노력 했다. 아이는 나의 것이 아니다. 나는 그저, 아이의 방향을 올바르게 잡아주는 키잡이일 뿐이다.

나는 아이에게 늘 말한다.

“태민아 사랑해. 우주 끝까지!”

태민이는 늘 이렇게 대답한다.

“나도, 엄마. 우주 넘어서까지!”

우리는 닮살 모자지간이다.

그래도 여섯이라서 행복하다

우리 집 화장실은 새벽 4시 30분부터 북새통을 이룬다. 새벽 일찍 출근 준비를 하는 남편을 시작으로 막내 태민이가 등교하는 여덟시까지, 화장실은 늘 줄이 늘어서 있다. 식구는 여섯인데, 화장실은 하나이다 보니 아침에는 특히 더 전쟁 아닌 전쟁터가 된다.

등교하는 순서대로 씻다가도, 돌발 상황이 벌어지는 일이 다반사다. 화장실이 오로지 씻는 용도가 아니기 때문이다. 서로가 다급하게 문을 두드려 보지만, 안에서 자리를 양보할리 없다. 특히 여학생이 셋이나 되는 집이다 보니, 긴 머리를 매일 감고,

외모를 한창 가꾸는 걸 말릴 수도 없는 일이다. 세 딸은 아침을 더 복잡하고 시끄럽게 만드는 주범들이나 다름없다.

다른 집에서 보면 어디 멀리 여행이라도 간다고 생각할 수 있지만, 그저 등교준비를 하는 매일 같은 일상일 뿐이다. 이런 누나들의 북새통에 막내아들의 소변 통은 따로 마련되어 있을 정도다.

이런 복잡한 아침 시간에 조금이라도 화장실 안에 오래 있다가는 밖에서 기다리는 가족들의 분노를 감당해 내야만 한다. 우리 집 화장실은 여유의 시간 한 번 없이 서로가 긴박하게 사용할 수밖에 없는 공간이 되어버렸다.

이따금씩 남편이 화장지를 들고 관리실 화장실로 뛰어가는 웃지 못할 사건이 생기고는 한다. 이런 날이면 변기통을 들어다, 안방에 떡하니 놓아 주고 싶은 마음이 굴뚝 같다. 그래도 이런 남편의 희생 때문인지 아이들은 단 한 번도 통학버스를 놓치거나 지각한 적이 없다.

여섯 식구의 북새통은 화장실로만 끝나지 않는다. 온 가족이 휴가를 떠나는 날이면 차안에서 서로의 자리를 더 넓게 잡으려 아이들의 치열한 서열 다툼이 벌어진다. 어렸을 때는 느끼지 못했던 불편함이 몸집이 커지면서 생겨나기 시작했다. 좁은 승용차 안에서 엎치락뒤치락하는 아이들을 보며, 남편은 단 한마디를 한다.

"불편한 사람은 내려."

아빠의 짧고 강력한 말 한마디면 아이들은 아무 말도 못한다. 이 조용한 순간도 그리 오래가지는 않는다. 하지만 아이들은 나름의 지정석을 만들고 서서히 적응을 해 가고 있다. 비록 자리는 불편해도 차 안 분위기는 80년대 관광차 못지않게 시끌벅적하고 신 나는 분위기가 연출되고는 한다. 아이들은 소란스럽게 다투다가도 서로의 몸에 기대어 잠이 들어버리곤 한다. 좁은 자동차는 가족애가 안 생기려야, 안 생길 수 없는 공간이다.

가족회의는 또 얼마나 수많은 의견이 나오는지 모른다. 의견이 많다보니 좋은 의견도 자연스럽게 나오지만, 각자의 의견을 하나씩만 내도 여섯 가지니 이 의견을 하나로 모으는 건 여간 힘든 일이 아닐 수 없다.

예를 들어 휴가 장소를 하나 정하는데 우리는 하루 이틀 사이에 결정되지 않는다. 그리고 사실상 막내의 얘기는 묵살되기 일쑤다 보니, 매번 토라진 막내를 달래야 하는 것도 가족회의 건이 되곤 한다. 처음에는 양 볼 가득 바람을 넣고는 퉁퉁대더니만은 십 분도 채 안 돼서 다시 가족회의에 참여하는 아이다.

"왜 나를 꼴찌로 낳았어?"

왜 아직도 자신이 꼴찌로 태어난 줄 모르나 보다.

우리는 토론을 하면서 다투는 게 일도 아니다. 하지만, 놀랍게도 어떤 다툼들 속에서도 끝은 나고, 의견이 하나로 모아진다. 자기 목소리가 크다고 떠들지만 결국엔 서로를 존중하는 법을 자연스럽게 배우는 것이다. 한 차례 거대한 폭풍이 몰아치듯이 서로가 목소리를 높여 주장을 높일 때면, 머리가 아프다가도 어차피 폭풍이 끝나는 건 시간문제일 뿐이다.

우리 집 안에서만 생일이 일 년에 여섯 번이다. 외식이라도 하러 나가는 날에는 또다시 전쟁이 터진다. 한 뱃속에서 나와, 같은 밥을 먹고 자랐지만 왜 그렇게 입맛이 다른지 모른다. 메뉴 정하는 일도 하루 이틀 걸려 가족회의를 통해야만 끝이 날 것처럼 서로 으르렁댄다. 그래도 다행스럽게도 생일은 주인공이 정해져 있다. 그 날 생일인 사람이 메뉴를 고르도록 하자고 하니 다들 합의를 했다. 정말 오랜만에 쉽게 결정된 일이었다.

여자가 넷이나 되는 집이니, 한 달에 한 번씩 터지는 월경도 네 번이나 이어지기 일쑤다. 각자의 불편함은 그렇다고 치지만, 여름날 물놀이를 가려 하면 불편함이 커진다. 각자 터지는 날짜는 왜 그리 제각각인지, 서로가 물놀이 날짜를 미루곤 한다. 이 일로 희생양이 되는 건 막내 태민이다. 여름마다 물놀이 가자고 하는 아이에게 할 수 있는 말은 나중에, 뿐이다.

여섯 식구가 사는 집은 늘 전쟁의 연속이다. 그러면서도 한데 어울려 잘 사는 걸 보면 이게 바로 '전쟁 같은 사랑'이지 않을까 싶다. 딸아이들이 연년생이다 보니, 옷 걱정은 없다. 각자에게 한 벌씩만 사 줘도 세 벌이 생기는 셈이다. 엄마인 나까지 합세하면 네 벌까지 가능하니 이건 참으로 다행스러운 일이다. 사이에 하나라도 남자아이가 껴있기라도 했다면, 옷으로도 한참을 싸울 수밖에 없을지 모른다.

딸아이들과 함께 외출을 나갈 때면, 나는 그 사이에 껴서 큰 언니가 된다. 언니라고 부르라는 나의 우스꽝스러운 주문에도 아이들은 깔깔대며 곧잘 언니라고 부른다. 이런 날이면 남편까지 합세해, "우리 네 자매들 잘 다녀와요."라고 한다.

요즘엔 보통 아이가 하나인 집들이 많다. 아이들을 키우는 면에서는 확실하게 간편해 보인다. 하지만 우리 집 아이들은 서로를 가족이자 친구로 지내다 보니 사회성이 발달될 수밖에 없다. 이건 확실하게 좋은 점이다. 각자 자신만 생각하는 것에서 벗어나 '나와 너, 그리고 우리'라는 생각을 더 깊게 만드는 것만 같다.

그 나잇대 아이들에게 생길 수 있는 고민들이나 엄마, 아빠에게 털어 놓기에는 껄끄러운 이야기들을 서로 친구가 되어 나누기도 한다. 남편과 내가 이미 오래전에 지나쳐온 시간들을 서로가 공유하고 힘이 되어 준다는 건, 쉽게 얻을 수 없는 행운이라고 생각한다. 심지어 가족이라는 울타리에 있다 보니, 서로의 입장을 내 입장처럼 더 생각해 주고 바른 일에 더 가까운 결론을 내리는 것 같다.

나는 이 아이들이 서로 머리를 맞대고 상의를 한다면 그 어떤 고민도 쉽게 무너지고 좋은 길이 나올 거라 생각한다.

아이가 여럿이라 이렇듯 작은 불편함 몇 가지와 쉽게 얻을 수 없는 큰 행운이 공존한다. 사실, 여섯 식구라는 건 경제적인 고민에서 쉽게 벗어날 수 없다. 집안일 또한 벅차기는 마찬가지다. 하지만, 행복한 일이 여섯 배라는 것. 이것은 돈으로도 살 수 없는 행복이지 않을까 싶다.

가끔 아이들은 형제가 단출한 집과 비교를 하며, 부럽다고 한다. 하지만 내가 지금 느끼는 행복을 아이들도 곧 느낄 거라 생각한다. 한 명씩 성장해 나가면서 나 혼자 보다는 둘이, 둘 보다는 셋이, 그리고 셋보다는 넉넉한 넷이 더 좋다는 걸 깨달을 것이다.

서로가 서로에게 가족 같은 친구, 친구 같은 가족이 되어 행복할 수밖에 없는 날이 올 것이다. 나는 언제나 매일 같이 느낀다. 그래도, 여섯이라 행복하다는 걸.

나도 학창시절이 있었다

시골집에 남아 있는 내 학창 시절의 추억 중 가장 최초의 기억은 초등학교를 입학하기 며칠 전부터 시작된다. 부모님은 어려운 가정 형편에도 입학 기념이라며 빨간 책가방을 사 주셨다. 내 마음은 가방을 받는 순간부터 떨리기 시작했다. 내 키가 금방이라도 자랄 것 같고, 어른이 될 것만 같았다. 나는 입학도 하기 전부터 빨간 책가방을 메고 온 동네를 쏘다녔다. 어렴풋하게 짧은 단락처럼 기억이 떠오르지만, 부모님이 주신 빨간 책가방은 선명하다.

지금 아이들은 그림에서나 보았던 이야기일 테지만, 내가 입학하기 몇 해 전만 하더라도 오빠 언니들은 보자기에 책을 싸서 허리춤에 묶고 다녔을 때였다. 그런 시대에 책가방이라는 건 어린 나에게 더없이 큰 보물이었다. 나는 매일 책가방을 머리맡에 두고 잠이 들었다.

내가 다닌 초등학교는 집에서 그리 멀지 않았다. 하지만 내 짧은 다리로 구불구불한 흙길을 걸으면, 30분도 더 걸리는 거리였다. 걷는 내내 발끝에 걸리는 돌부리들, 풀벌레 가득한 숲길은 내 걸음을 방해할 수밖에 없었다. 그 중에 제일은 단연 저수지였다. 이따금 한 번씩 은빛 물고기가 물 밖으로 튀어 오르면, 나는 가만히 서서 다음 물고기가 튀어 오를 때까지 움직일 수가 없었다.

사방이 산으로 둘러싸인 동네는 두 손을 펼치면 하늘을 가릴 수 있을 정도였다. 나는 그 동네에서 12년 동안 등교와 하교를 반복했다.

초등학교 시절 집으로 돌아오는 길에 몇 번씩 동네 오빠를 마주치고는 했다. 오빠는 늘 자전거를 타고 있었다. 오빠는 친구와 나를 마주칠 때마다 어김없이 자전거를 태워 줬다. 나는 그때마다 빠르게 집에 도착할 수 있다는 생각보다, 불편한 엉덩이 걱정이 앞섰다.

키가 크고 덩치가 좋은 친구는 항상 자전거 뒷자리를 차지했다. 하지만 친구보다 왜소한 나는 늘 안장 앞 길쭉한 프레임에 엉덩이를 옆으로 걸쳐 탈 수밖에 없었다. 길 곳곳에 널브러진 돌멩이와 패인 흙길을 지날 때면 누군가 엉덩이를 사정없이 치는 것처럼 아팠다.

때때로 당장 자전거에서 내려 두 발로 걸어가고 싶기도 했지만, 잘생긴 동네 오빠의 호의를 거절할 수 없었다. 그리고 집과 학교 사이에 있는 숲에서는 낮에도 귀신이 나온다는 소문을 듣고 난 뒤부터는 오빠의 자전거가 더 든든하게 느껴지기도 했다.

어느 날, 하교하는 우리 앞에 나타난 건 낡은 자전거가 아니었다. 동네 오빠는 흙먼지를 날리며 근사한 오토바이를 끌고 나타났다. 그날 이후 한동안은 엉덩이 아픔 없이 편안하게 집에 도착할 수 있었다.

중학교에 입학하면서 집과의 거리가 더 멀어졌다. 초등학교에서 논두렁과 밭길 사이를 더 걸어야만 내가 다니는 중학교가 나왔다. 나는 언니들이 입은 교복을 물려 입었다. 아무리 빨아도 흰 셔츠의 누런 때는 벗겨지지 않았다. 다른 아이들의 흰 칼라를 보면 그게 얼마나 눈이 부셔 보였는지 모른다.

새 교복이 갖고 싶은 마음도 잠시, 교복자율화로 사복을 입고 학교에 등교하게 됐다. 처음으로 엄마와 함께 옷을 사러 나갔다. 말만 교복자율화였지 대부분이 단정한 하나의 옷을 교복처럼 입고 다니는 식이었다. 지금 생각해 보면 촌스러운 자주색 바지와 노란색 체크무늬 남방이 그 시절에는 그 어떤 교복보다 예쁘고 근사한 교복 역할을 해 주었다. 그 시절, 움직일 때마다 뒷목 위에서 찰랑거리던 짧은 단발머리의 느낌은 아직도 지울 수가 없다. 다 같이 똑같은 머리를 하고 우리는 몇 벌 없는 옷들을 계속 돌려 입었다.

사춘기가 온 걸 이쯤이라고 말할 수 있는 건, 처음으로 이성이라는 존재에 대해 눈을 떴기 때문이다. 여름방학이 끝나갈 무렵, 부모님들에게는 학교에 간다고 거짓말을 했다. 그리고 남자 셋, 여자 셋 짝을 맞춰 동네에서 떨어진 포도밭으로 놀러 갔다.

키 작은 청포도나무 그늘 아래서 우리는 포도 한 바구니를 가운데 두고 빙 둘러 앉았다. 지금처럼 특별한 놀이도 없었다. 어색함을 지우기 위해 서로의 말로 빈 공간을 채워나갔다. 당시 우리 학교에는 아이들의 연애사업에 관대한 총각 선생님이 있었다. 그 선생님 이야기만 하더라도 시간이 어떻게 흘러가는지 몰랐다.

졸업 뒤에 안 사실이지만, 이 총각 선생님은 학생들의 연애편지를 직접 배달해 주는 오작교 역할까지 하셨다고 한다. 언젠가 한번은 내 노트에 나를 좋아한다는 남학생의 이름을 적어 놓고 가시던 얄궂은 선생님이었다. 나는 그날 쿵쿵대는 심장 소리와 붉어진 얼굴 때문에 수업이 어떻게 끝났는지 기억도 나지 않는다.

그때 당시 서로에 대해 물을 때, 인사말과도 같았던 취미까지 물어보며 모임의 분위기는 무르익어 갔다. 시간은 금세 버스가 올 시간이 되어버렸다. 남학생 하나가 아쉬웠던지 다음 버스를 타고 가자며 고집을 부렸다. 하지만 이미 집에는 학교에 다녀오겠다고 거짓말을 둘러댄 상황이었다. 우리는 아쉬움보다 더 큰 잔소리가 두려워 부랴부랴 버스에 올라탔다.

처음 남자 아이들과 어울린 날이었고, 거짓말을 한 날이었다. 아무 일 없이 넘어가는 것만 같았지만, 사건은 며칠 뒤 터졌다.

어둠이 깔린 저녁이었다. 누군가 나를 흔들어 깨웠다. 어머니였다. 잠이 채 깨지도 않은 내 머리를 쥐어박았다. 어머니의 말을 듣자 잠이 확 달아나 버렸다.

"아니, 뭘 하고 다녔기에 이 시간에 뭔 머슴아가 집까지 찾아오게 만드니?"

아닌 밤중에 홍두깨도 아니고 어머니의 뜬금없는 소리에 나는 온몸을 떨었다. 심장은 이미 터질 것처럼 쿵쾅거렸다. 나는 집 밖으로 나가보았다. 하지만 사방은 개구리 울음 소리만 가득했다. 대문 앞에 계신 아버지는 아무 말씀도 없으셨다. 발소리와 함께 오빠가 마당으로 들어섰다.

오빠는 잠결에 열어 놓은 방문 밖으로 누군가의 그림자를 보고 잠을 깼다고 한다.

"누구세요?"

남학생은 잠깐 뜸을 들이더니, 옆집 아이의 이름을 대며 집에 있냐고 물었고 오빠는 친절하게 옆집 방향까지 알려 주었다고 했다. 옆집으로 후다닥 발걸음을 옮기던 남학생에게 오빠는 이상함을 느꼈고, 부리나케 일어나 남학생을 뒤쫓아 다그쳤다고 한다. 순진한 남학생은 말까지 더듬으며 나를 찾아 왔다고 대답했다. 오빠는 더 이상 질문하지 않았다. 그리고 남학생의 뺨을 두 대나 갈겼다고 했다.

오빠의 말을 듣고 며칠 전 함께 포도밭에 갔던 남학생의 얼굴이 떠올랐다. 어머니는 어떻게 남학생을 알았냐며 다그쳤다. 나는 사실대로 말할 수밖에 없었다. 처음으로 한 거짓말은 금방 들통 나고 말았던 것이다.

그날 아버지가 말리지 않았다면, 어머니는 밤새도록 내 머리를 쥐어박았을지도 모른다.

"이번 한 번만 봐줄게. 앞으로 한 번 더 거짓말 하거나, 남학생들과 어울리면 집밖으로 내쫓길 줄 알아!"

나는 그 이후로 남학생들과 어울리는 기회를 만들지 못했다. 지금이야 별거 아닌 아이들 소풍이겠지만, 그 옛날에는 왜 그렇게 이해하지 못했을까 싶다. 물론, 어머니를 속인 일은 내가 백 번 잘못했지만 말이다.

내 학창 시절의 페이지마다 곧잘 나 자신을 웃게 만드는 사건을 하나씩 품고 있다. 오늘도 그 페이지를 펼치며 내 과거의 시간과 마주하고 이렇게 기록할 수 있다는 것에 기쁨을 느낀다.

어머니 마음은 딸들이
제일 잘 헤아려 준다는
말을 들은 적이 있다
하지만 나는 이 말이 무색할 만큼
어머니의 마음을 헤아린
적이 없는 것 같다

아! 내 엄마

어머니 마음은 딸들이 제일 잘 헤아려 준다는 말을 들은 적이 있다. 하지만 나는 이 말이 무색할 만큼 어머니의 마음을 헤아린 적이 없는 것 같다. 전화로 안부를 묻는 횟수도 나보다 더 많은 어머니다.

어머니는 올해 일흔일곱의 연세임에도 불구하고 힘이 나보다 더 세다. 기억력도 좋아서 아주 오래전 일도 어제 일처럼 막힘없이 쏟아낸다. 어머니 기억 속에 남아 있는 삶은 꽤나 험난했다. 어머니가 매번 말씀하시는 과거의 기억들은 가시처럼 따끔한 이야기들 뿐이다.

외할머니는 당시 네 살이던 어머니를 두고 돌아가셨다. 나이 차가 꽤 나는 언니 손에서 잘 자라났지만, 언니는 열여덟이라는 나이에 결혼을 해 집을 떠났다. 어머니의 나이 열 살 때였다. 곧이어 외할아버지는 재혼을 하셨고, 어머니는 끈 떨어진 연처럼 남아 있다가 자연스럽게 큰 오빠의 집으로 들어가게 됐다.

이미 결혼을 한 오빠에게는 아이가 있었다. 어머니는 조카들을 돌보며, 집안일에서 농사일까지 거들어야 했다. 어머니는 그 집에서 동생이 아니라, 식모였다고 했다. 하루는 조카가 너무 칭얼대서, 그 앞에 쌀을 한 줌 놓아 주었다가 함부로 쌀을 먹었다며 두들겨 맞았다고 했다. 어머니는 어린 마음에 큰 상처를 입게 되었다. 그 이후로, 어머니가 눈에 가시라도 되는 양 오빠 부부는 하루걸러 하루 꼴로 모진 잔소리를 하고, 매를 들었다고 한다.

어느 날 어머니는 죽을 요량으로 양잿물을 한 대접을 준비했다고 한다. 하지만 어린 어머니는 양잿물을 마시지도 못하고 그 앞에서 밤새도록 눈물만 흘렸다고 한다. 어린 어머니의 모습은 쉽게 떠오르지 않는다. 다만, 대접 앞에서 고개를 푹 숙인 채 울고 있을 작은 어머니를 상상하면, 옆에 가서 가만히 보듬어 주고 싶은 마음이 든다. 지금은 우스갯소리로 하는 말이지만, 당시 어머니의 삶은 벗어나기 위한 시간들 뿐이었다.

어머니는 동네 옆 저수지를 여섯 번이나 찾았다고 한다. 양잿물을 못 마셨듯이, 저수지를 바라보면 어찌나 겁이 덜컥 나는지 신발을 벗을 수 없다고 했다.

어머니는 나이 스물이 되어서야 그 집을 벗어날 수 있었다. 한 번도 얼굴을 본적도 없는 아버지와의 결혼을 통해서 말이다. 어머니에게는 새 삶이 시작될 것만 같았다. 하지만 더 큰 장벽을 마주하게 된다. 바로, 시어머니. 나의 친할머니를 말이다. 친할머니는 어머니를 엄마 없이 자란 아이라며 처음부터 탐탁지 않게 생각했다.

좋은 음식 솜씨와 바느질 솜씨, 게으름 없이 농사일을 해도 늘 면박을 주신 할머니에게 어머니는 아무 말도 못했다. 그 시절 시어머니에게 말대꾸를 한다는 건 엄두도 못 내던 때였다. 어머니는 어디 한 곳에 마음을 두지 못하고 온 몸으로 화를 삭이기만 했다. 하지만 화병이라는 게 어디 괜히 있는 말일까, 어머니의 가슴 속에서 '화'는 화석처럼 단단하게 자리 잡고 있었다.

친할머니의 면박에 있어서는 아버지도 속수무책이셨다. 한 번이라도 어머니의 편에 서서 거들어 주면 좋았을 테지만, 말수가 적고 무뚝뚝한 아버지는 그러지 못했다. 어머니는 친할머니와의 사이가 원만해지고 돌아가신 지금도 과거의 아픔에서 벗어나지 못했다.

과거에 있는 자신의 삶, 자신을 괴롭힌 사람들에 대한 감정이 마음속에서 쉽게 사라지지 않는 모양이었다. 언제나 가만히 지켜보기만 했던 아버지에 대한 원망도 풀리지 않았는지, 아버지는 가끔 어머니의 화풀이 대상이 되곤 했다.

아버지는 어머니를 사랑하셨다. 내 눈에는 보였지만, 어머니 눈에는 보이지 않았던 걸까. 어머니가 큰 수술을 하고 누워 계셨을 때, 아버지는 잠도 설치면서 어머니의 병수발을 들었다. 하지만 그 일로 어머니의 응어리가 풀리지는 않았다.

나는 과거의 시간에 묶여 있는 어머니의 현재가 안쓰러웠다. 이제는 내몰릴 곳도 없는 황무지처럼 비척한 땅에 뿌리를 박은 채, 바스러질 것만 같았다. 지금이라는 귀중한 시간 속에서도 행복할 일이 많은데 왜 과거에만 머물러 있는 걸까.

나는 어머니를 설득하기 시작했다. 과거의 시간에서 구출하고 싶었다.

“다 지나간 과거 때문에 혼자 이렇게 괴롭게 시간을 보내는 건 아닌 것 같아.”

어머니는 가만히 고개를 끄덕인다. 이미 어머니 안에 있는 사건과 시간들은 내 힘으로는 풀 수 없는 실타래처럼 복잡하게 엉킨 채, 단단하게 매듭지어 있었다. 몇 번의 설득 끝에 정신과 치료를 받을 수 있게 됐다.

자신을 둘러싼 처음의 사건을 시작으로 지금의 시간까지 쉼 없이 상담을 했다. 상담을 통해 어머니의 아픔은 조금 나아지는 것도 같았다. 하지만 어느 날 갑자기 병원을 가지 않겠다며 등을 돌렸다. 효과가 없다는 말만 늘어놓는 어머니를 다시 억지로 병원으로 보낼 수 없었다.

치료가 멈추고 어머니는 다시 과거로 되돌아갔다. 그 후로도 10여년의 세월동안 과거에 억눌려 헤매셨다. 아버지는 늘 입버릇처럼 말씀하셨다. “나 때문이야. 내가 현명하게 처신하지 못한 내 탓이야.” 항상 자책하고, 후회하셨다. 어머니는 그런 아버지에게 여전히 화풀이를 하시곤 했다. 아버지는 가만히 어머니의 말을 들으셨지만, 지금은 그런 아버지마저 곁에 계시지 않다.

말 수가 적은 아버지를 늘 벽 같다고 말씀하신 어머니는 아버지가 돌아가시자 벽이라도 있는 게 낫다며, 아버지의 빈자리를 그리워하셨다.

어머니의 결벽증은 과거의 시간에 더 깊게 매몰되는 일들이었다. 주변의 것들을 차례차례 제자리에 두는 일은 마치 자신의 내면에 있는 모든 과거를 그대로 다시 쌓아두는 일들과 같았다.

어머니의 결벽증은 내 어린 기억부터 시작된다. 추운 겨울에도 식사를 마친 후에는 환기를 위해 모든 방문을 열어 두어야 직성이 풀리셨다. 어린 우리 남매들은 추위에 벌벌 떨며 얼른 모든 반찬 냄새가 빠져 나가기만을 기다렸다.

우리 남매는 어머니의 결벽증에 혼쭐나는 일이 많았다. 늘 어머니가 집에 돌아오시기 전부터 집안 곳곳을 청소하며 부산을 떨어야했다. 이런 일들 때문인지 우리 자매들은 당연하게 결벽증을 닮게 되었다. 내 탓에 이미 두 딸들은 요란스럽게 깔끔을 떨기 시작하는 걸 보니, 모든 어머니와 딸들의 관계는 닮음으로부터 시작되는 게 아닌가 싶기도 하다. 물론, 결벽증만큼은 딸들에게 물려주고 싶지 않았지만 말이다.

요즘 어머니는 지나치게 걱정거리가 많으시다. 우리 남매들 걱정에 늘 마음을 졸이신다. 이미 각자 자리를 잡았지만, 마음이 놓이지 않는 모양이시다. 한 번씩 걸려오는 전화를 받지 못하는 날이면, 혹시라도 어디에서 사고라도 난 게 아닐까 하는 마음이 먼저 든다고 하시다니 말이다.

나에겐 따뜻하기만 한 유년의 기억이 어머니에겐 없다. 반대로 없애고 싶은 기억들만 가득하다. 지금은 다행이도 과거의 시간에서 벗어나 있는 어머니지만, 우리의 걱정으로 현재를 또 복잡한 마음으로 보내고 있다. 어떤 자식의 마음도 마찬가지겠지만, 나는 이제 남은 시간 동안은 아무도, 누구의 걱정 없이 어머니 자신만을 생각하는 삶을 살았으면 좋겠다고 생각한다.

가끔 '엄마'라는 존재 없이 괴롭게 흘러간 어머니의 유년의 시절을 상상한다. 나에게는 어머니라는 푸근한 공간이 있다는 게 얼마나 마음 편안해지는지 모른다.

나는 사랑한다는 말이 어렵지 않다는 걸 네 아이를 낳고 키우면서 알게 됐다. 하지만 아버지의 죽음 앞에서야 겨우 아버지에게 사랑한다고 말했던 내 모습이 후회스러운 만큼 지금 내 곁에 있는 어머니에게는 사랑한다는 말을 아끼지 않아야겠다.

항상, 내 곁에 든든한 공간. 박옥례 여사님, 많이 사랑합니다.

세상에서 가장 아름다운 단어는

어머니라고 한다

나는 그 말에 동의한다

반대로 아버지라는 단어는

언제 들어도 마음을

먹먹하게 만든다

엄마보다 더 엄마 같은 아빠

세상에서 가장 아름다운 단어는 어머니라고 한다. 나는 그 말에 동의한다. 반대로 아버지라는 단어는 언제 들어도 마음을 먹먹하게 만든다. 나의 아버지는 호수 위에 드리워진 안개처럼 묵묵히 본인의 소임을 다하신 분이셨다. 아버지의 말 없는 성격에 어머니는 답답해하시기도 했지만, 어린 내 눈에 비친 아버지는 점잖고 자상한 분이셨다. 아직도 시골 마을 어귀에 자리 잡은 당산나무를 보면 아버지가 먼저 떠오르곤 한다. 행동으로, 마음으로 우리에 대한 사랑을 표현하셨던 아버지……. 내 유년 시절 아버지에 대한 기억은 뚜렷하게 남아있다.

어릴 적 아버지가 퇴비를 만들기 위해 지게를 메고 풀을 베러 가는 날이면, 집 앞에 쭈그리고 앉아 멀리서 걸어오는 아버지를 기다리곤 했다. 해가 떨어질 때 쯤이 되면 아버지는 지게 위에 퇴비로 만들 풀을 잔뜩 베어 왔다. 그리고 풀 사이에 산딸기며 앵두 열매를 따고 돌아오셨다.

깊은 시골에서 먹을거리라고는 자연이 주는 것뿐이던 시절이었다. 내가 기다린 건, 아버지의 그림자가 아닌 풀 사이에 그득한 붉은 열매였다. 우리 남매들은 옹기종기 모여 앉아 아버지의 손때가 묻은 빨갛게 익은 열매를 먹었다. 아버지의 사랑이 입안으로 찰수록 붉어지는 입술이었다. 우리는 붉어진 입술에 서로 깔깔대며 웃었고 아버지는 우리를 가만히 내려다보았다.

내가 사는 곳은 겨울이 되면 이듬해 봄이 올 때까지 눈이 녹지 않았다. 우리는 봄이 올 때까지 온통 새하얀 세상에서 지내곤 했다. 그때 내가 다니던 학교는 30분은 족히 걸어야 하는 거리에 있었다. 학교에서 돌아오는 길, 무릎까지 차오른 눈을 밟으면 운동화는 젖은 채 꽁꽁 얼어있었다. 하지만 매일 아침마다 하나 뿐인 운동화는 마술처럼 바짝 말라있었다.

운동화가 바짝 말라있던 건 마술이 아니었다. 해도 안 뜬 이른 새벽에 일어나 소여물을 끓이던 아버지는 부뚜막 위에 운동화를 올려 두었던 것이다. 운동화는 매일 아침 따듯하게 말려졌다.

가방을 메고 마루에 걸터앉을 때면 아버지는 늘 온기가 남아 있는 운동화를 내 발 아래 내어 주셨다. 내 작은 운동화는 아버지의 손에서 어루만져 끝없는 사랑으로 변해 있었다. 겨울 내내, 나는 바짝 마른 운동화를 고마움도 느끼지 못한 채 잘도 신고 다녔다.

철없던 어린 시절의 기억들은 아직도 잊히지 않는다. 과거로 돌아가 한 번이라도 아버지의 손을 잡아보고 싶을 뿐이다.

초등학교 때였다. 내 손등에 콩알만 한 혹이 올라왔었다. 아버지는 그 길로 나를 시내에 있는 병원으로 데리고 가셨다. 당시 내가 사는 동네는 시내로 나가는 버스가 하루에 한두 번 있을까 말까했다. 게다가 집안 형편은 어린 내 눈으로 봐도 넉넉하지 못했다.

아버지는 내 이마의 혹을 발견하고 잠시의 망설임도 없었다. 전주에서 제일 큰 종합병원으로 내 손을 끌고 들어간 거였다. 다행스럽게도 대수롭지 않는 혹이었다. 아버지는 병원에서 나와 내 입 속으로 설탕이 발려 있는 눈깔사탕을 하나 넣어 주셨다. 나는 작은 입으로 오물조물 거친 사탕을 빨아먹으며, 아픈 건 사탕을 받는 일이라고 생각했다.

학교에서 기생충 검사가 있는 날이면, 아버지는 다섯 남매의

변을 뒤져 작게 잘라내고 봉투에 직접 넣어 주셨다. 혹시라도 봉투 안이 보일까 신문지로 꽁꽁 싸 주는 것도 잊지 않으셨다.

아버지는 기관지가 안 좋은 나를 위해 뙤약볕을 마다않고 산을 돌았다. 산마다 산도라지를 캐러 다니셨다. 나는 밤마다 화장실이 가고 싶을 때마다 참곤 했다. 아버지는 그런 내 마음을 읽었는지, 환한 달빛과 함께 재래식 화장실 문 앞을 지켜 주셨다. 뭐든지 값을 매길 수 있고, 길이와 깊이를 잴 수 있는 시대다. 하지만 아버지의 사랑만큼은 어떤 값과 길이 보다, 어떤 깊이보다 더 클 수 없다고 생각한다.

아버지는 언제부터인가 목에서 무언가 까실까실 거리는 느낌이 난다고 하셨다. 그리고 병원에서 식도암 3기라는 판정을 받았다. 암이라는 진단을 받은 두 달도 채 되기 전부터 몸은 빠르게 약해졌다. 통증도 통증이었지만, 계속되는 설사에 요양 병원 신세를 질 수밖에 없었다.

요양 병원에서의 아버지의 모습을 떠올리면 그립다는 말보다, 마음 아픈 시간이 떠오른다. 아버지의 발은 요양원에서 퉁퉁 부어올랐다. 어두운 팥죽 색깔을 하고선, 말랑말랑한 살덩이가 꼭 삶은 고구마처럼 보였다. 부은 발은 슬리퍼에 들어가지지도 않았다.

"아빠, 발이 삶은 고구마 같아! 꾹 누르면, 다시 돌아올 때까지 시간이 걸리네."

나는 아버지의 퉁퉁 부은 발을 보며, 농담을 던졌다. 아버지는 몇 개 남지 않은 누런 이를 내보이며 웃곤 하셨다.

아버지의 퉁퉁 부은 발을 보면, 시골에서 아버지와 함께 고구마를 캐던 기억들이 고구마 줄기처럼 줄줄이 엮여 따라 나온다. 아버지가 고구마를 캐는 내내 내 입에서는 감탄사가 끊이지 않았다. 줄기에 줄줄이 매달려 흙에서 끌려 나오는 고구마가 어린 내 눈에 어찌나 신기한 일이었는지 모른다. 마치 보물을 찾아 끌어올리는 것만 같았다. 호미로 주변을 살살 파내는 아버지의 모습을 따라하다가, 호미에 손을 찍어 피가 났던 일도 있었다. 아버지는 어쩔 줄 몰라 하시며, 입고 있던 셔츠를 찢어 내 손을 칭칭 감쌌다.

고구마를 보면 아버지의 아픈 발과 아버지가 손가락 위로 감싸주던 셔츠가 생각난다. 그러면 마치 고구마를 막 먹은 것처럼 가슴이 답답해진다.

아버지는 가족들과 떨어져 요양원에 지내면서 죽음보다 더한 외로움을 버텨냈을 거다. 하지만 매번 찾아갈 때마다 애써 웃음을 지어 보이셨다. 나는 아버지에게 환한 웃음을 드리기 위해 매일 같이 찾아가 농담을 던지곤 했다.

"아빠, 내가 바나나를 먹으면 아빠가 나한테 바나나?"

"내가 요즘 돈이 없어서 오렌지를 먹어본지가 얼마나 오렌지."

"아빠, 고로케가 고로케 맛있어?"

아버지는 내 이야기를 이해한 것인지, 아닌지 계속해서 환하게 웃기만 하셨다.

막상 아버지가 죽음의 그늘 가까이에 계셨을 때, 아버지를 괴롭힌 건 암세포가 아닌 계속되는 설사였다. 아버지는 늘 지쳐 계셨다. 계속 되는 설사로 기저귀를 차게 되자, 내가 설사 때문에라도 빨리 죽고 싶어, 라는 아픈 속내를 비치기도 하셨다.

나는 수소문 끝에 곶감 달인 물이 설사에 좋다는 정보를 얻었다. 호랑이도 쫓아낸 곶감이라면, 아버지의 설사도 뚝 멈추게 만들 것만 같았다. 기도하는 마음으로 곶감을 정성스레 달였다. 내 기도를 알아 준 것인지, 내가 달인 곶감 물을 드신 아버지는 설사병이 점차 나아지셨다. 적어도 내 앞에서 설사 때문에 죽고 싶다는 말을 더이상 하지 않으셨다.

그래도 완전히 낫지 않은 탓인지 아버지의 몸은 앙상한 뼈만 남아 있었다. 살가죽을 뚫고 금세 튀어 오를 것만 같았던 뼈들을 볼 때면 눈이 매워지곤 했다.

"요양원에 있는 게 처음엔 어찌나 불편했는지 몰라. 근데 지금은 너무 편안하다. 너희들도 더 자주 볼 수 있고.”

처음 요양원에 들어오셨을 때는 그렇게 집에 가고 싶다고 말씀하시던 분이다. 나는 갑자기 누군가가 내 머리를 친 것만 같았다. 건강하게 잘 계셨을 때는 이런 저런 핑계로 찾아뵙지 않았다. “다음에 가면돼.” 시간은 항상 우리의 만남을 기다리고 있을 것만 같았다.

결혼하기 전 야근을 마치고 아버지께 초코파이를 사들고 찾아간 적이 있었다. 아버지는 내가 보고 싶어 눈이 짓무른 걸 어찌 알고 왔냐며 좋아하셨다. 까무룩 잠이 들었다, 아버지가 깨우는 소리에 눈을 떴다. 머리맡에는 따뜻한 밥상이 차려 있었다. 어머니의 외출을 대신해 아버지가 직접 상을 차려오신 거였다. 그때 고맙다는 말은 하지 않았다. 그저, 당연하다고만 느꼈던 일이었다.

사람은 왜 모든 일을 뒤늦게 깨닫는지 모른다. 나는 아버지와의 추억들을 아버지의 암 덩어리보다 더 늦게 깨달았다. 이미 아버지는 3개월이라는 단축된 시간을 갖고 계셨을 때였다. 아버지는 2개월은 집과 병원을 오고가고, 나머지 1개월은 요양원에서 시간을 보내게 됐다.

평소 아버지는 교회 얘기라면 펄쩍 뛰셨다. 하지만 요양원에서는 봉사자들과 함께 기도를 하시며 하나님 곁에 가까이 가려고 노력하셨다. 교회 예배에도 직접 참여하시며 목사님 세례까지 받으셨다. 아버지는 세례 때 받은 나무 십자가 목걸이를 돌아가실 때까지 빼지 않으셨다.

나는 아버지가 천국에 계실 모습을 상상한다. 돌아가시기 전, 늦게라도 하나님 곁에 갈 수 있도록 노력해준 요양원과 교회에 감사하는 마음이 크다.

요양원 간호사들과 봉사자들은 하나같이 아버지의 칭찬뿐이었다. 늘 점잖은 모습으로 자신의 병을 스스로 극복하기 위해 노력하셨다고 한다. 내 아버지라면 당연한, 내가 어릴 적부터 늘 봐 오던 모습이었다.

돌아가시기 전, 아버지가 요양원에 계셨던 일은 마음 한편을 무겁게 만든다. 우리는 우리대로의 최선을 다해 아버지의 몸이 더 편안할 수 있도록 모셨던 일이었다. 더 자주 찾아갔고, 더 자주 웃음을 드렸다. 하지만 그 안에서의 아버지의 시간은 정말 행복했을까 의심하기도 한다.

가끔 요양원 내에서 아무 가족도 찾아오지 않는 어르신들을 뵐 때가 있었다. 아예 부양을 요양원에 전가해버린 것이었다. 그럴 때면 우리 아버지가 요양원에 있다는 것도 마치 누군가 버린 가족처럼 보일까 겁이 나기도 했다.

우리가 부모님께 갖는 소중함은 늘 엇나간다. 하늘이 정한 것처럼 일부러 뒤늦게 소중함을 깨닫게 만들어 주곤 한다. 나는 항상 후회했고, 아직도 후회한다. 더, 많이, 깊이 사랑하지 못한 것만 같다.

앞으로, 누군가에게는 나의 이 짧은 글이 후회하지 않게 하는 계기가 되기를 바란다.

사정없이 방망이질을 하고 있었다

가슴 속에서 콩닥콩닥하고

아직 집안으로 들어서지도 않았는데,

바라보는 여유로움도 잠시였다

내가 살았던 시골과 같은 풍경들을

시부모 처음 보던 날, 둘 다 나한테 찍혔다

팔 남매의 대가족 장남과 결혼을 약속한 나를 두고, 주변에서는 염려 섞인 걱정뿐이었다. 귀에도 콩깍지가 쓰였던 걸까? 나는 그 어떤 말에도 남편과의 결혼 결심이 흔들리지 않았다.

시댁 어른들에게 결혼 허락을 받기 위해 남편의 본가에 간 날이었다. 남편의 손을 잡고 들어선 동네는 낮은 지붕과 담장들이 모여 있는 작은 동네였다. 어둠이 곧 흩뿌려질 시간이었다. 땅을 파던 농부들은 하나둘씩 지친 발걸음을 집으로 향했고, 밭을 일구던 여자들은 저녁 찬거리를 위해 다시 텃밭으로 향하고 있었다.

내가 살았던 시골과 같은 풍경들을 바라보는 여유로움도 잠시였다. 아직 집안으로 들어서지도 않았는데, 가슴 속에서 콩닥콩닥하고 사정없이 방망이질을 하고 있었다.

"엄마."

남편의 목소리가 몇 번 더 이어졌지만, 방안에서는 아무런 인기척도 나지 않았다. 아직 집에 돌아오지 않으신 모양이었다. 담장 안에는 남편과 나뿐만이 아니었다. 큰 눈망울을 이리저리 굴리며 우는 소 네 마리와 송아지, 남편을 보며 반갑게 짖어대는 개의 소리가 요란했다.

어른들이 안 계신다는 안도감에 가슴 속에서 계속 울려대던 방망이질은 멈추었다. 그러나 곧 이상하다는 생각이 들었다. 어둠이 이미 턱 끝까지 차올라 있는 상황에서 결혼 허락을 받으러 온 우리를 맞이하는 사람이 아무도 없다니 말이다.

"정말, 오늘 맞는 거야?"

나는 남편에게 재차 확인을 했다. 달력을 넘겨 오늘 날짜를 확인을 하고, 기억 속을 계속 더듬었다. 오늘이 맞았다.

물론, 대단한 환영을 바란 것은 아니었다. 하지만 마음 한구석이 실망감에 젖어 드는 것은 막지 못했다. 나는 그저 작은 밥상에서 서로의 얼굴을 마주보며, 함께 저녁 식사를 하고 싶을 뿐이었다.

나는 부엌으로 들어서, 밥솥을 확인했다. 예상대로 밥솥은 텅 비어 있었다.

항상 미리 준비하는 성격 급한 친정어머니라면 며칠 전부터 부산을 떨었을 텐데……. 며칠 전은 고사하고 당장 함께 모여 먹을 밥조차도 없다고 생각하니, 만남 전부터 문전박대를 당한 기분이 들었다.

나의 실망을 눈치 챈 남편은 부랴부랴 집 밖으로 나가 시부모님을 찾기 시작했다. 그렇게 십 분의 시간이 지났을까? 남편은 뒷밭 매실나무 아래에서 부모님을 찾아 앞장세우고 대문을 들어섰다.

안도감인지도 모를 기분에, 아까의 섭섭함은 금세 사라졌다. 반대로 친정 엄마처럼 부산하게 나를 맞이하시지 않은 것에 기분이 나아지고 있었다. 부산스러운 만큼 부담스러운 첫 만남이 될 게 뻔했기 때문이다.

시아버지는 눈에 띄는 훤칠한 키를 가지셨다. 그에 반해 시어머니는 이 동네의 낮은 지붕만큼이나 작은 키를 가지셨다. 시어머니는 크게 쌍꺼풀 진 눈으로 쉽게 다가설 수 없는 인상을 풍기고 있었다. 시아버지는 나를 보자마자, 멀리 떨어진 딸이 돌아온 것처럼 두 손을 덥석 잡으셨다. 나는 아직도 시아버지의 두툼한 손이 기억난다. 내가 기억하는 우리 아버지의 손보다 두

배나 더 큰 느낌과 마디마디 불룩 솟아나 있는 관절, 그 위를 덮은 거친 굳은살들. 시골의 작고 큰일을 도맡으며 생긴, 세월의 흔적이었다.

시어머니는 서둘러 저녁을 준비하셨다. 가만히 앉아 있을 수 없던 나는 시어머니의 뒤꽁무니만 졸졸 따라다녔다. 사실 나는 음식도 할 줄 아는 게 아무것도 없었다. 그런 내 행동이 불편했는지, “가만히 앉아 있어, 내가 할 테니까.”라며 말씀하셨다. 나는 불편한 마음에 앉지도 서지도 못한 채 엉거주춤한 자세로 벌 아닌 벌을 서고 있는 꼴이 되었다.

시어머니의 손맛은 꽤 좋았다. 음식이 맛있는 이유도 있었지만, 어른들이 좋아하는 밥 잘 먹는 며느리로 보이기 위해, 닭다리를 손에 들고 맛깔나게 뜯어 먹었다. 내 손에 묻는 양념은 신경 쓰이지 않았다. 다만 계속해서 밥알을 흘리는 시아버지의 주변이 계속해서 신경 쓰였다. 정확하게 말하자면, 시아버지의 주변 보다는 시도 때도 없이 튀어 나오려는 내 결벽증이 더 신경 쓰였다.

‘아, 저거 주워야 하는데.’ 숟가락을 든 손이 계속해서 느려졌다. 내 머릿속은 온통 밥알 생각뿐이었다. “입에 안 맞니?” 시어머니의 목소리였다. 나는 그제야 밥알들에서 눈을 뗄 수 있었다. 다시 정신을 차리고, 내 결벽증을 침착하게 가라앉히고 있었다. 첫 만남에서 실수를 한 것만 같아 마음이 불편했다.

내 우려와는 다르게 나는 시부모님과의 만남에 높은 점수를 받았다. 그리고 많은 사람들의 축하 속에서 결혼식을 치를 수 있었다.

결혼 후, 몇 달간은 평탄한 고부 관계가 유지되었다. 하지만 갑자기 몸에 생긴 병으로 시어머니와의 사이가 약간 갈라지는 듯도 싶었다. 폐에 천공까지 생긴 폐결핵이라니… 갑자기 생긴 병에 시어머니와 친정어머니 모두 놀란 발걸음으로 병원에 도착하셨다.

친정어머니는 놀라서 벌렁벌렁하는 심정에도 침착함을 잃지 않으셨다. 의사에게 어떻게 치료가 될 것인지 추후 더 발생하지는 않는지, 내 건강에 모든 신경을 세우셨다. 하지만 시어머니는 나의 병이 결혼 전부터 있었던 것인지부터 의사에게 물어보셨다. 그때의 심정은 섭섭하다는 말로는 다 전달할 수 없을 정도였다. 물론 섭섭한 마음은 병이 완치되자 기억도 안 날 정도로 사라져 버렸다.

나는 지금 아이 넷을 낳았다. 지금 와 생각해 보면, 시댁 어머니와 친정어머니의 질문이 달랐던 것은 당연한 일이었다. 나도 내 자식의 일이 더 급하다. 시어머니는 시집온 지 얼마 안 된 나보다, 자신의 자식인 남편이 더 걱정되었을 게 당연했다. 우리 어머니가 나에게 모든 신경을 집중했듯이 시어머니 또한 그러했다고 생각하니 서운함이 사라져버렸다.

막내 태민이가 태어날 때쯤부터 시어머니는 무릎에 이상이 생겼다. 시골의 고된 노동으로 낡아 버린 무릎은 자주 고장이 났다. 처음 수술실로 들어가는 시어머니를 보자, 내가 아픈 것처럼 무서워졌다. 시어머니는 무섭다고 말로 내뱉지는 않았지만, 입술을 악물고 수술실로 향하고 있었다.

"춘엽 씨, 파이팅!" 어디서 용기가 나왔는지 모른다. 나는 시어머니의 무서움을 잊게 만들고 싶었다. 어머니는 그저, 가만히 웃으셨다. 그때부터 나는 시어머니를 엄마라고 불렀다. 수술을 끝난 시어머니는 병원 음식이 마음에 들지 않는지 계속해서 음식을 적게 드셨다. 친정어머니는 장작불에 사골 국물을 진하게 우려내고, 고추와 호박잎을 쪄서 끓인 된장 양념을 병원에 갖고 오셨다. 친정어머니도 시어머니가 나를 앞으로 키워 주실 분이라는 생각을 하셨던 것이다.

여덟 명의 자식. 넷을 낳은 나로서는 쉽게 상상할 수 없는 숫자다. 그 세월 속에서 끊임없이 고생을 했을 시어머니를 생각하면, 나는 가슴이 쉽게 먹먹해진다.

시아버지는 돌아가시기 전에 이렇게 말씀하셨다.

"시간이 어디로 어떻게 흐르는지도 모르게, 뒤를 돌아볼 틈도 없이 열심히 살았다. 근데, 그렇게 내달리기만 하다 멈춰보니 이렇게 약한 몸만 남아있더라." 시어머니도 시아버지와 똑같은 삶을 견디며 달려오셨던 것이다. 나는 시아버지의 임종 때, 얼마나 많은 후회를 했는지 모른다. 더 많이 사랑하고 아껴주지 못한 것들이 많았기 때문이다.

지금 내 곁에 남아 있는 엄마 두 분과 나중에 헤어질 시간이 오면 후회 없는 사랑을 드렸다고 생각하고 싶다. 오늘도 우리 엄마들이 내 곁에 오래오래 건강하게 남아 있길 바란다.

침대 머리맡에 걸려있는
아버님의 사진이 어색하게 느껴져요
금방이라도, 사진 속 미소를 머금고
우리 앞으로
걸어 나오실 것만 같아요

시아버님께 보내는 편지

아버님, 저 며느리 미숙이에요. 20년 동안 딸 같이 사랑을 주셨던 맏며느리요. 이제 아버님이 세상 그 어느 곳에도 안 계시다고 생각하니 마음이 더 아려옵니다. 서로가 바라볼 시간이 이렇게 짧을 거라 생각하지 못했어요. 이렇게 보낼 수도, 받을 수도 없는 편지를 보낸다는 건 더 생각하지 못했고요. 아버님이 돌아가신 후 한동안 제 꿈에 자주 찾아오셨던 건, 저처럼 헤어짐이 아쉬웠던 마음 때문이었겠지요?

아버님이 그렇게 예뻐하셨던 태민이가 요즘엔 키가 크려는지 밥을 많이 먹어요. 아마, 아버님이 보셨다면 맛있는 거 사먹으라며, 태민이 손에 만 원짜리 한 장 쥐어 주셨을 거예요. 아버님이 돌아가시고 나니 시골 집을 찾아가도 허전하기만 합니다. 침대 머리맡에 걸려있는 아버님의 사진이 어색하게 느껴져요. 금방이라도, 사진 속 미소를 머금고 우리 앞으로 걸어 나오실 것만 같아요.

지금 이곳은 여름입니다. 아버님이 제일 좋아하셨던 그 계절이에요. 사방이 온통 짙푸른 초록으로 낮게 깔려 있습니다. 멀리 보이는 산, 우뚝 솟은 초록을 보고 있으면 아버님 생각이 더 깊어집니다. 항상 그 자리에 우뚝 서 계셨던 아버님을 닮은 것만 같아서요.

아버님이 자식처럼 챙기셨던 논과 밭은 올해부터 다른 분들께 농사를 맡겼어요. 어머님 몸도 많이 편찮으시고, 아이들 아빠도 교대 근무 때문에 살뜰하게 챙기기는 어려울 것 같았거든요.

아버님, 우리 다 같이 모내기 하던 때를 기억하세요?

"우리 며느리가 와서 농사하니까, 이번에도 분명 풍년일 거야." 까만 얼굴을 햇볕에 드러낸 채 껄껄껄 웃던 때가 아직도 어제 일처럼 선명해요. 시누이들은 그때마다 저만 예뻐한다면 심통을 내곤 했죠.

아버님이 입버릇처럼 하셨던 말씀 기억나세요? 우리가 매번 농사일을 도울 때마다, 힘에 부쳐 나중에 농사는 안 할 거라고 말씀드리자. “미래에는 돈이 있어도, 본인이 직접 농사를 짓지 않으면 식량을 살 수가 없어 굶어 죽는 시대가 올 거야! 내 말이 맞나 안 맞나, 어디 두고 보자.”라며 목소리에 힘을 주셨죠.

제가 며칠 전 읽은 책에는 아버님의 말씀이 그대로 나오는 거 아세요? 그 덕분에 한참 동안 아버님 생각이 났답니다. 지금 다시 생각해 보면, 아버님 말씀대로 우리 가족 먹을거리는 직접 농사지어 먹는 게 더 낫다는 생각이 들어요. 우리의 땀으로 지어진 음식들이 더 건강해지는 기분이었거든요.

저는 아직도 핸드폰에 저장되어 있는 아버님의 사진을 자주 들여다봐요. 그리곤 아버님과의 추억을 되새기곤 한답니다. 비록 사진 속 아버님은 환자복을 입은 채, 아픈 모습으로 계시지만 저는 그 사진이라도 제 손닿는 곳에 있어서 얼마나 다행인지 몰라요. 왜 편찮으시기 전에 다정한 사진 한 장 남기지 못했을까, 아쉽기도 하고요.

요즘 저는 글을 쓰는 일에 한창 몰두하고 있습니다. 취미삼아 시작한 일이 이제는 책을 위한 작업으로 바뀌었습니다. 제목은 “천상 아줌마 제대로 바람났다”예요. 아버님이 제목을 직접 들었다면, 한마디 거드셨을 것 같아요. 집안일이나 아이들 일이 아닌, 제 일이 있다는 게 아직도 낯설어요. 책이 나오면 아버님 계신 곳에 놓아 두려고 해요. 가정주부인 제 인생 이야기지만,

아버님도 분명 좋아하실 거라 생각해요.

처음 책의 출판을 결심하고 이야기를 시작하면서, 많은 걸 생각했어요. 그동안 가정주부로 살아왔던 세월이 길어서, 내 얘기에 사람들이 귀를 기울일까? 싶었거든요. 하지만, 아버님도 아시다시피 누군가의 인생은 각각 다른 모양으로 특별해요. 아버님께서 고생하시며 팔 남매를 키우신 이야기도 특별하듯이 말이죠.

제 책을 읽는 누군가도 그러리라 생각해요. 자신의 꿈은 그저 한족 가슴에 품은 채, 자신의 특별함을 스스로 인정하지 못하고 현실에서 제자리걸음만 하는 사람이 있겠죠. 저는 그런 분들이 제 이야기를 통해 스스로 특별함을 찾아냈으면 좋겠어요. 작은 책에 담겨 있는 이야기지만, 그런 힘이 있을 거로 생각하고 있고요. 아버님도 분명 제 글을 응원하고 있다고 믿고 있어요. 항상 제 편이셨던 것처럼요.

아버님과 처음 만났던 때를 떠올리면 '픽' 하고 웃음이 나고는 해요. 저는 아버님이 저를 흡족해 하신다는 걸 한 눈에 알아차렸어요. 저를 바라보는 눈빛에서 티가 났거든요. 사실, 다가가기 힘든 어머니의 분위기 때문에 겁을 먹었지만, 아버님 덕분에 긴장을 풀었던 것 같아요.

첫 만남에서 아버님 때문에 제가 얼마나 안절부절 했는지 몰라요. 저녁을 먹는 내내 아버님께서 밥알을 얼마나 흘리시는지 흘린 밥알을 쫓느라 눈이 계속 이리저리 움직였어요. 아버님도 아시겠지만, 제가 워낙 중증 결벽증이다 보니 밥알을 그대로 둬야 하는지 말아야 하는지 계속 고민만 했어요.

지금은 많이 나아졌지만, 그때만 해도 제 결벽증은 병적일 정도였거든요. 생각해 보면 어머니가 식사를 준비하시는 내내 안절부절 했던 이유도 혹시라도 깨끗하지 않을까 싶은 마음에서였어요. 그러니, 방바닥에 떨어진 밥알들을 보며 어떤 생각을 했었겠어요.

예비 시아버님이 흘린 밥알을 줍겠다고 주섬주섬 바닥을 닦아냈다면 아버님은 어떻게 생각하셨을까요? 저녁 식사 내내 많이 먹으라며, 반찬들을 제 쪽으로 밀어주시던 그 손을 잊지 못하고 있어요. 저는 그 감사한 손도 뒤로 한 채, 밥알에만 집중했다니. 정말 결벽증이 병이긴 했었나 봐요.

제가 결혼 후 몸이 아팠을 때도 아버님은 오롯이 제 편이셨어요.

"지금 가장 중요한 건 너의 몸이다. 다른 생각은 하지 말고 오로지 치료에만 집중해라. 그 어떤 것도 너 자신이 없다면 소용없는 것이다."

시아버님이 아닌, 제 아빠와 같은 따뜻한 마음이 와 닿았어요. 이미 그때부터 저는 며느리가 아닌, 딸로서 아버님을 모시겠다고 결심을 했는지도 몰라요.

아버님 말씀대로 제 몸을 가장 중요하게 생각하고, 아이를 넷이나 낳았습니다. 제 몸을 제일 먼저 생각하라던 아버님의 말씀이 곧 우리 아이들을 건강하게 낳을 수 있는 큰 힘이 아니었을까요?

그런 아버님은 왜 정작 자신의 건강은 챙기지 않으셨을까요. 왜 오로지 자식 걱정, 며느리 걱정, 손주들 걱정만 먼저셨을까요?

아버님께서 병원에 입원해 계실 때 가족 모두 병원이 집인 것처럼 들락거렸던 게 떠올라요. 아버님 앞 침대에 계신 환자분은 결국엔 병실을 옮기셨죠. 늘 가족들이 찾아와 응원해 주는 모습에 질투가 나서 그랬던 것 같아요.

저는 아픈 아버님께 웃음을 드리고 싶었어요. 그래야 아버님의 아픈 몸, 아픈 생각들이 떨어져 나가니까요. 아버님은 제 썰렁한 농담에도 특유의 미소로 받아주셨죠. 이제는 아버님의 아픈 나날들조차 짙은 추억이 되어 좋은 기억으로 남았습니다.

"내가 3년만 더 살면 너희들이 편할 텐데."

아버님은 제 손을 꼭 잡으시면서 말씀하셨죠. 돌아가시기 전까지 오로지 우리들 생각뿐이셨던 아버님. 이제는 편안하게 본인만 생각하는 시간을 보내고 계시리라 믿고 있습니다.

아버님이 안 계시니 모든 것이 멈추어 버린 것만 같은 시간이었어요. 그러나 아버님이 먼 곳에서 건강하게 웃음 짓고 있을 거란 생각에 멈추어 있던 시간이 다시 흐르기 시작했습니다. 언제나, 앞으로도 잊지 않을 내 하나뿐인 아버님. 감사합니다.

오늘도 행복할 수 있다

가족들이 있어서

넘치게 채워주는

하지만 내 부족한 면들을

늘 부족하다고 느낀다

내 자신은

나도 신혼이 있었다

결혼한 지 얼마 되지 않았을 때였다. 나는 하루가 멀다 하고 설거지를 할 때마다 멀쩡한 그릇을 깨버리기 일쑤였다. 나의 그릇 깨는 버릇은 시댁이라고 예외는 아니었다. 조심히 설거지를 했지만 늘 한두 개씩 깨져버렸다. 새색시가 조심성 없이 그릇만 깨부순다는 잔소리를 들을까 겁이 났다. 나는 깨진 그릇을 가방 속에 슬쩍 넣어, 우리 집으로 가져와 버리곤 했다. 나는 스스로를 '마이너스의 손'이라고 생각했다.

오랜만에 시댁에 들른 날이었다. 그날도 예외는 아니었다. 이번엔 시아버님의 국그릇을 깨버리고 말았다. 놀란 나는 얼른 주변을 살폈다. 다행히 아무도 없었다. 나는 재빠르게 가방을 들고 나와, 슬며시 깨진 그릇을 집어넣으려 했다.

갑자기 인기척이 났다. 부엌으로 시아버지가 들어오셨던 것이다. 나는 꿈쩍도 못한 채, 그릇을 가방에 넣지도 빼지도 못하고 있었다. 시아버지는 내 손에 들린 깨진 그릇을 자신의 손으로 옮기셨다.

"그릇도 깨먹고 그래야 그릇 장사도 먹고 살지."

농담을 건네시며, 그릇을 직접 쓰레기통에 버려 주신 아버지는 손은 괜찮냐며 내 손까지 살펴보셨다. 시아버지의 따뜻한 마음이 느껴졌다. 나는 앞으로 더 신중하게 설거지를 해야겠다고 마음을 먹었다. 하지만 다짐과는 반대로 깨지는 그릇은 계속해서 늘어났고, 가방 속에는 늘 깨진 그릇이 담겨 있었다.

나는 아직도 멀쩡한 그릇을 자주 깨버리곤 한다. 시댁에서 깨버린 그릇은 이제 자연스럽게 쓰레기통에 버린다. 우리 집의 찬장은 계속해서 텅텅 비워지고 있다. 그릇 깨지는 소리만 들려도 멀리서 아들이 소리친다. "엄마, 또?" 그리곤 굳이 직접 달려와 깨진 그릇을 확인까지 한다.

주부생활 21년이다. 주부 9단을 넘기고도 남았을 세월이다. 하지만, 왜 매번 같은 실수를 반복하게 되는지 이해되지 않았다. 근래 나는 머그컵의 손잡이를 똑 떼어버렸다. '역시 마이너스의 손'이라고 생각했다. 그리고 그때서야 계속되는 그릇 깨기의 원인을 알 수 있었다.

바로 내 결벽증 때문이었다. 설거지를 깨끗하게 하려고 하다 보니, 손에 힘을 주어 박박 문질렀던 것이다. 거품 때문에 손에서 미끄러지는 건 당연했고, 머그컵을 얼마나 세게 쥐었는지 이제는 손잡이까지 똑 떼어버린 것이다.

이런 결벽증 탓에 신혼 초 실수는 그릇에서 끝나지 않았다.

결혼 후 처음 맞는 명절이었다. 시어머니는 설 아침 차례 상에 올릴 조기를 손질하라고 하셨다. 나는 생선을 손질해본 적이 없었지만, 친정어머니의 어깨 너머 눈대중으로 익혔던 대로 하면 될 거라 생각했다.

제사상에 올릴 조기는 첫째도, 둘째도 깨끗한 게 최고라고 생각했다. 나는 생선의 비늘을 깨끗이 벗겨냈다. 그리고 머리와 꼬리를 잘라내고 배를 갈라, 내장을 깨끗하게 발라냈다. 나는 깨끗해진 조기를 곧바로 시어머니께 들고 갔다. 깔끔한 며느리라는 칭찬을 들을 거라 예상했던 것이다.

"아이고. 아가, 조기한테 뭔 짓을 한게냐?"

어머니는 소스라치게 놀란 표정이었다. '아이고'라는 곡소리도 곡소리였지만, 뭔 짓이라는 소리가 쉽게 이해되지 않았다. 어머니는 내 표정을 읽었는지, "제사상에 올리는 조기 그 작은 걸

뭐 한다고 그렇게 토막을 낸 거냐. 그냥 비늘만 벗겨야지."라며 손질하는 법까지 알려 주셨다. 나는 버려진 조기 입속으로라도 숨고 싶은 심정이었다.

그날 저녁 나는 남편과 온 시장을 뒤져 조기를 다시 구해야 했다. 다행이도 조기를 어렵지 않게 구할 수 있었고, 다음 날 제사상에는 비늘만 살짝 벗겨진 조기가 올라갈 수 있었다.

음식과 관련된 실수는 조기뿐만이 아니었다. 신혼 초, 인심 좋으신 옆집 할머니께서 텃밭에 먹기 좋게 자란 아욱이 있으니 뜯어다 국을 끓여 먹으라고 하셨다.

'그래, 오늘 저녁은 보란 듯이 맛있는 아욱국을 끓여 저녁상에 올리겠어.'

그동안 부진했던 요리 솜씨를 남편에게 제대로 보여줄 수 있는 기회라고 생각했다. 콧노래까지 흥얼거리며 아욱을 뜯는 내게, 옆집 할머니는 깻가루를 넣으면 더 맛있다는 좋은 정보도 주셨다. 나는 아욱을 한 바구니 뜯고는 바로 슈퍼로 달려갔다. 그리고 큼직한 깻가루를 한 봉지 사왔다.

요리법은 간단해 보였다. 쌀뜨물을 끓이고, 된장을 풀어 넣었다. 그리고 깻가루를 넣고, 아욱을 넣으면 되는 일이었다. 나는 할머니가 말한 깻가루가 마법의 가루처럼 느껴졌다. 더 고소한 맛을 내줄 거란 생각에 한 봉지를 다 털어 넣고 냄비 뚜껑을 닫았다.

집안 온통 고소한 냄새가 들어찼다. 나는 간을 보려 뚜껑을 잠시 열었다. 그리고 뚜껑을 다시 닫을 수 없었다.

냄비 속에는 아욱국이 없었다. 아니, 국물이 사라져 있었다. 냄비 가득 깻가루가 죽이 되어 금방이라도 넘칠 것처럼 끓고 있었다. 나는 커다란 들통을 꺼냈다. 그리고 냄비 가득 채워져 있는 깨죽을 옮겨 담았다. 급한 마음에 물을 넣고 다시 끓이기 시작했다.

물을 넣고 다시 끓이면, 아욱국으로 바뀔 거라는 희망에 부풀어 올랐다. 하지만 다시 끓인 국은 아욱의 원래 모습도 잃은 채, 깨 속에서 흐물거리며 죽이 되어 있었다. 다시 끓일 수 있는 시간은 없었다. 나는 물을 넣어 더 묽게 만들고 저녁상을 차렸다.

퇴근한 남편 앞으로 아욱국을 슬그머니 내밀었다. 아니, 아욱깨죽이라는 게 더 맞는 표현일지도 모른다. 남편은 잠깐 그릇 안을 살피더니, 첫 아욱국 치고는 너무 잘했다며 맛있게 먹어주었다. 남편의 입맛에는 맞았다니 다행이었다.

가스레인지 위에는 앞으로 며칠 내내 먹어도 줄어들지 않을 아욱국이 있었다. 남편은 아무 말 없이 아욱국, 아니 아욱깨죽을 며칠 동안 맛있게 먹어 주었다. 나중에 한 말이지만 원래부터

죽을 싫어했던 남편은 다신 먹을 수 없는 맛이라고 고개를 절레 절레 흔들었다.

그토록 먹기 싫었을 음식을 며칠 내내 맛있게 먹어 준 남편의 마음이 고마울 뿐이다. 나는 그 사건 이후, 옆집 할머니에게 아욱국 끓이는 방법을 제대로 배웠다. 그 덕분에 지금은 '국'다운 아욱국을 만들 수 있다.

아이 넷을 키우며 계속 된 주부 생활에 익숙해질 만도 하지만, 집안일은 계속해서 어렵기만 하다. 수도요금을 줄이는 일, 결벽증을 줄이는 일, 맛있는 음식을 만들어 내는 일은 풀지 못할 숙제처럼 느껴진다.

나의 이런 단점들 속에서도 잘못을 눈감아 주고, 칭찬해 준 내 곁의 가족들이 고맙다. 내 자신은 늘 부족하다고 느낀다. 하지만 내 부족한 면들을 넘치게 채워주는 가족들이 있어서 오늘도 행복할 수 있다.

딸 고집을 꺾어준 지원군

큰딸 민경이의 진로 문제로 고민을 하던 나는 교회의 문을 두드렸다. 민경이는 사물놀이를 하고 싶어 했고, 나는 아이의 꿈이 녹록치 않은 길이라는 판단에 다른 길을 찾으라고 했다. 인문계 고등학교에서는 이미 늦은 선택이라는 생각이 앞섰던 것이다. 나의 온갖 감언이설과 협박에도 아이의 고집은 꺾이지 않았다.

나는 큰딸의 고집을 꺾어줄 지원군이 필요했다. 동네 근처에 있는 교회를 찾기에 이르렀다. 어릴 적 친구를 따라 주일학교에 다닌 적은 몇 번 있었지만, 혼자 스스로 교회를 찾은 일은 이번이 처음이었다.

처음 새벽 기도를 참여하기 시작했다. 조용한 새벽의 길을 따라 교회로 향하는 일이 잦아질수록 아이의 일보다는 내 믿음이 커지는 걸 느꼈다. 며칠 후, 나는 목사님께 상담이 필요하다고 요청했다. 몇 번 오지 않은 성도라는 걸 알았을 테지만, 목사님은 흔쾌히 시간을 내어 주셨다.

나는 큰 아이의 일을 말하며 상담이 아니라, 울분에 가까운 사정을 하고 있었다.

"목사님, 지금은 너무 늦지 않았나요? 저는 목사님이 우리 민경이를 만나서 말려 주셨으면 좋겠어요!"

목사님은 내 큰 목소리에도 놀라지 않으셨다.

"그건 제가 무조건 말릴 만한 일이 아닌 것 같아요. 제가 민경이를 직접 만나볼 수 있을까요?"

미소를 지으며, 민경이와의 상담을 해보고 싶다고 하신 것이다. 게다가 이렇게 어렵게 교회에 와서 고민을 털어놓은 점에 고맙다고까지 말씀하셨다. 나는 목사님의 배려에 놀라지 않을 수 없었다.

며칠 후 나는 민경이와 목사님을 찾았다. 목사님은 천천히 민경이의 꿈을 물었다. 내 식대로 아니라고 판단하고, 더 이상 묻지도 않았던 나와는 달랐다. 천천히 아이의 말을 듣던 목사님은 "정말? 민경이 꿈이 정말 대단한데! 대단한 꿈을 내게 들려줘서 너무 고맙구나."라며 응원까지 하셨다.

나는 속으로 외쳤다.

'목사님! 제가 원하는 건 제 편이었어요! 민경이 편이 아니라!'

이런 내 목소리를 들었던 걸까? 목사님은 차분하게 말을 이어나갔다.

"그런데 많은 시간과 노력이 필요한 일이구나. 마지막으로 생각을 많이 해보고 결정해야 하는 일일 것 같은데?" 소매 끝자락만 만지고 있는 민경이에게 목사님은 세상에 많은 길이 있다는 조언도 잊지 않으셨다.

목사님의 조언 덕분이었을까? 지금 민경이는 자신의 꿈을 향해 열심히 걸어가고 있다. 대학에서 자신이 하고 싶은 전공수업을 배우며, 1학기에는 과 1등으로 다음 학기 수업료를 장학금으로 받기도 했다. 막막한 마음에 막기만 하는 엄마가 아닌, 자신의 꿈을 잘 들어 주고 조언을 해 준 목사님의 말씀에서 아이는 더 좋은 결정과 노력을 할 수 있었다고 생각한다.

이런 사건으로 목사님과 나는 교회 안에서 말씀을 통한 인연을 이어나가고 있다.

목사님이 주신 도움은 이 일뿐만이 아니었다. 그동안 나는 친정아버지와 시댁 아버지를 하나님 앞으로 전도하지 못했다. 하지만, 두 분이 돌아가실 땐 한걸음에 목사님을 먼저 찾았다. 그

두 분을 위해 기도를 부탁드리기 위해서 말이다. 목사님은 언제나, 성도가 아닌 두 아버지를 위해 열심히 기도해 주셨다.

그래도 마음이 놓이는 건, 두 아버지 모두 돌아가시기 전 기독교 요양 병원에 잠시 머물렀다는 것이다. 그 곳에서 매일 기도와 찬양을 통해 조금씩 하나님 곁에 더 다가갔으리라 생각한다.

늘 필요할 때만 목사님을 찾는 게 아닌가 싶어 죄스러운 마음이 들기도 한다. 하지만 주일마다 목사님과 함께 하나님을 만나며, 좋은 인연을 내려 주신 것에 감사하는 기도를 늘 전하고 있다.

처음에는 낯설기만 했던 교회 생활도 이제는 모두 익숙해졌다. 주일 예배 점심 식사를 한 이후에는 설거지 거리를 찾아서 할 정도이다. 교회의 행사에서 늘 열심히 하다 보니, 3행시 짓기 대회에서는 최우수상을 타 문화상품권을 탄 기억도 남아 있다.

한동안 교회에서 못 뵈었던 전도사님은 어떻게 알았는지 "책 내신다면서요? 3행시 멋지게 지으실 때부터 알아봤습니다."라며 축하 인사를 잊지 않는다. 아직 나오지도 않은 책에 사인까지 부탁하며 꼭 사오겠다고 약속까지 하시니 교회에서의 새로운 인연이 늘 감사할 수밖에 없다.

교회 안에서의 많은 도움을 통해 소중한 일들을 다시금 깨닫게 된다.

막내 태민이는 유난히 목사님을 잘 따른다. 수업을 마치면 항상 교회를 찾아가 목사님께 피아노를 배우는 재미에 빠졌다. 이 덕분에 막내의 말썽이었던 학교 등교 거부가 풀렸는지도 모른다.

어쩌다 목사님이 안 계시는 날에는 서운한 기색이 역력하다. 목사님도 그걸 아시는지 한 번은 태민이가 기다린다는 말을 듣고 바로 교회로 달려오신 적도 있다. 목사님의 힘은 이미 우리 아이들에게까지 전달되었다.

목사님은 아무리 작은 아이에 불과한 성도일지라도, 그냥 지나치는 법이 없다. 아이들을 천사라고 생각하고, 늘 다정하게 대하신다. 아이를 바라보는 목사님의 눈빛을 보고 있자면, 예수님의 눈빛과 많이 닮아있지 않을까 싶다.

하지만 예배 시간이 시작되면 목사님의 눈빛은 또 다르게 바뀐다. 하나님의 진리와 가르침을 성경 안에서 찾으시며 열정적으로 설교하신다. 단상 위에서 만큼은 단호한 표정과 어투로 카리스마 있는 모습을 보이지만, 설교가 끝나고 단상 아래로 내려오시면 또다시 순한 양처럼 온화한 미소로 성도를 바라본다.

목사님의 1순위는 오로지 성도들이다. 자기 자신조차 잊으시고 교회 안의 걱정을 앞세우실 뿐이다.

한 눈에 봐도 눈에 띄는 가발을 쓰시고 분주하게, 성도를 보살피는 목사님. 우리 성도들은 목사님의 가발이 순식간에 벗겨진다 해도 놀라지 않겠습니다. 오직 목사님의 신실하신 마음만을 생각하도록 하겠습니다.

나는 오늘도 이렇게 목사님을 향해 기도를 드린다.

목사님의 바람처럼 부흥하는 교회, 항상 부르짖어 기도하는 교회, 모든 진리를 성경 안에서 찾아 은혜 받는 교회, 모든 성도들이 하나님 안에서 행복할 수 있도록 하는 기도도 잊지 않는다.

며칠 전 목사님의 설교 중에 문득 떠오른 문구가 기억이 난다.

"제가 어찌 예수님을 따르지 않고, 감히 천국의 문을 엿볼 수 있겠습니까?"

나를 믿음으로 안내해 주시고, 믿음의 힘으로 아이들까지 보살펴, 천국으로 안내해 주시는 목사님이 늘 감사할 뿐이다.

드디어 바람기가 돌았다

토요일 새벽 다섯 시가 되면 알람 소리가 울린다. 친구의 소개로 시작한 독서클럽을 나가기 위한 알람이다. 네 아이를 키우면서 일주일 동안 꼼짝없이 아이들에 시달려야 하지만, 토요일은 유일한 자유의 날이었다. 하지만 독서클럽에 참여하고부터는 더 부지런 떠는 아침을 맞이해야 했다. 일찍 일어나는 것도 일이지만, 아이들과 남편의 밥과 간식을 미리 준비해야 마음이 편했기 때문이다. 어떤 일을 하더라도 엄마와 아내라는 역할은 놓칠 수 없었다.

독서클럽은 말 그대로 지정된 책을 읽고, 의견을 나누는 모임이다. 짧다면 짧고 길다면 길 수도 있는 두 시간 동안 각자의 생각을 자유롭게 토론하는 시간을 가진다. 처음 모임에 참여할 때는 어색했지만, 나는 토론의 시작과 동시에 곧바로 독서클럽에 반해버렸다.

우리는 같은 책을 읽었지만, 서로 다른 시선을 가졌다. 각자의 생각을 듣고 공감대를 형성하기도 하고, 내가 전혀 생각지도 못했던 생각에 빠져들기도 한다. 그러다 보면 책의 다양한 장점을 더 살펴볼 수 있고, 책의 내용을 이해하고 기억하는 데 더 도움이 된다.

결혼 전에는 독서를 즐기던 시간이 곧잘 있었다. 하지만 네 아이를 키우는 주부의 삶 속에서 독서란 사치와도 같은 시간들이었다. 21년이란 시간 속에서 나는 아이들의 문제집이 아니면, 들여다 본 적이 없었다.

하지만 독서클럽을 통해 시간이 없다는 변명을 버리고 다시 독서를 할 수 있었던 것이다. 독서의 힘은 대단했다. 나를 위한 잠깐의 독서 시간을 만든 것뿐인데도 행복하다는 감정을 느꼈다.

캄캄한 장롱 깊숙이 감춰져 있던 21년의 세월 속에서 내 꿈은 군데군데 녹슬어 있었다. 글을 쓰고 싶은 어린 소녀의 얼굴은 이제 많이 변했다. 그래도 그 꿈을 꾸었던 어린 시절이 남아있다는 건, 아직도 나에게 꿈을 이룰 수 있는 기회가 있다는 것과 같았다.

이미 색이 바랜, 오랜 꿈을 찾기 위해 도와준 건 독서클럽을 소개해준 친구다. 친구는 내가 집안일이 아닌 내 꿈에 다가설수록 자신의 일처럼 기뻐해주고 있다.

가끔은 책을 읽지 못한 채, 독서토론에 참여할 때가 있다. 그래도 꼬박꼬박 참여하는 이유는 사회자의 진행과 다른 사람의 토론 속에서 내가 책을 이미 읽은 것과 같은 효과를 얻기 때문이다. 책을 이미 한 번 읽은 마음으로 책을 들여다보면, 더 풍부한 생각을 해줄 수 있게 해준다.

사실, 또다시 예전처럼 시간이 없다는 변명으로 책과 멀어지는 내가 다시 돌아올까 두려운 마음이 있기도 하다. 녹슨 꿈을 어렵게 꺼내 제 색을 찾기도 전에 다시 고물처럼 망가지는 게 두려운 것이다. 그래서 어떤 일이 있더라고 독서모임에는 꼭 참여한다.

내가 독서클럽을 통해 읽었던 책 중에서 가장 기억에 남는 책은 배르벨 바르데츠키의 <너는 나에게 상처를 줄 수 없다>이다. 처음 갔을 때 읽은 책이기도 하지만 이 책을 통해 나는 마음을 내려놓는다는 것에 헛헛해 하지만 않는 다는 걸 배웠기 때문이다.

나를 상처 주었던 건 결국엔 상처에서 벗어나지 못한 내 자신이었던 것. 그 상처를 극복하기 위해서는 소중한 나를 한 번 더 뒤돌아 봐야 한다는 것. 지금까지의 삶이 깊은 산 속에서 길을 헤매기만 한건 아닐까, 하는 기분까지 들었다.

책을 통해 길을 찾을 수 있다는 건 아마도 이런 것 때문이라 생각한다. 나를 되돌아 볼 수 있는 시간을 만들어 준다는 것만으로도 나는 충분히 치유 받고 있었다. 21년 동안 가장 자신 있었던 청소와 빨래, 설거지 등의 집안일에서 벗어나자, 더 잘 할 수 있는 내 일이 만들어지고 있었다.

첫 토론을 마치고 나는 책과 나의 변화에 대해 짧은 시를 썼다.

21년만의 외출

깜깜한 안방 장롱 깊숙이 갇혀 있던 나는

20년 넘는 세월을 둘렀던 앞치마를 벗어 던지고

담장 너머로 보이는 또 다른 세상에 조심스레 발을 내딛으며

한권의 책을 공유하는 즐거움과 함께

가슴깊이 펜을 하나 꽂았습니다.

방향을 잃은 꿈을 찾지 못해 꿈 꿀 수도 없었던 나에게

책은 이제 나에게 나침반의 역할을 약속하고

사람들은 내가 캄캄한 어둠속에서도 설익은 꿈을 따지 않도록

많은 격려와 함께 조언을 아끼지 않으며

언제나 배움의 길을 활짝 열어 두고 나를 기다려줍니다.

아직은 실뱀 같은 가느다란 행복을 맛보지만 곧 나에겐

아빠 코끼리 다리만큼이나 굵디굵은 기쁨과 행복이 찾아올 것이기에

나는

내일도, 모레도, 글피도……

토요일마다 찾아오는 새벽이슬을 마다하지 않을 것입니다.

그동안 나를 괴롭혔던 건 결벽증의 산증인처럼 남아있는 먼지 하나 찾기 힘든 집, 빨간 고무장갑과 앞치마, 십 만원 가까이 나오는 수도요금 영수증이다.

나는 결벽증이 있다. 그 결벽증 안에서 스스로 내면의 벽을 만들고 빠져나올 생각 없이 살아왔다. 그리고 내 결벽증에 대해서 누군가가 말한다면, 내가 옳다고만 말해왔다. 남과 다르다는 건 싫었다. 하지만 내가 옳다고 생각하면 안 좋은 내 습관까지

도 누군가에게 인정될 것만 같았다.

그러나 지금은 달라졌다. 이 변화는 독서클럽을 통해서였다. 독서는 내가 나와 마주 앉을 수 있는 계기를 만들어 준 것이다. 천천히 내 마음속 벽이 허물어지고 있었다. 나는 스스로 행복한 삶을 바라보고 있다. 더 큰 행복이 찾아 올 수 있도록 마음을 열어 두었다.

앞으로도 내 마음이 흔들리지 않도록 나를 안아 줄 수 있도록, 독서를 통한 배움을 이어나가야겠다.

바람기가 하늘을 날기 시작했다

-시로 시작하기

<꽃길 따라 걷다 만난 시낭송>

한미숙

시를 만났다.

책을 읽고 사람들 사이에 끼어 어울리다보니 시가 나를 불렀다.

이미 오래전 주인을 잃은 낡은 철도 길을 놀이터 삼아 뛰노는

네 살배기 꼬마 아이의 천진난만한 마음이 되어 시와 만났다.

누군가 토실토실 살이 오른 돌쟁이 갓난아기의 엉덩이를 보고도

시 한소절도 뱉어내지 못한다면 당신의 감성은 이미 죽은 것이라 했던가!
5월의 따가운 햇살을 받으며 이미 내 안에서 죽어버린 감성을 되살리려고
나는 오늘도 욕심을 부려 시를 만나고 사람들의 목소리를 찾는다.
산 밑동을 돌아 흐르는 강물에 머리를 처박고 다슬기를 잡는 아낙들의
바쁜 손길 못지않게 금요일을 걷는 나의 발걸음 또한 바쁘게 움직여
오늘도 나는 이곳 시낭송 강의실 문을 어김없이 두드린다.

고무장갑을 벗고 행주 대신 책과 펜을 쥐고 독서클럽에 참여한 이후 삶이 달라지는 것 같았다. 나는 한 발 더 나아가 시낭송 수업까지 듣게 됐다. 금요일만 되면 시낭송 수업에 갈 생각에 감성이 풍부해지곤 했다. 시를 낭송하는 수업이었지만, 나는 낭송보다는 평소에 좋아하던 시를 더 많이 접할 수 있다는 생각에 기대감이 컸다.

첫 수업, 최현숙 교수님을 처음 뵈었던 날이었다. 마이크를 통해 흘러나오는 교수님의 시낭송 목소리에 놀라지 않을 수 없었다. 선택 받은 목소리처럼 느껴졌다. 교수님은 '오월 시를 노래하다.'라는 주제로 시낭송 단독 공연을 하신다고 했다. 처음 받은 감동으로 나는 공연장을 찾지 않을 수 없었다.

공연 시작 보다 이른 시간에 도착했지만, 이미 전 좌석이 매진이었다. 공연을 보지 못한다는 실망감에 돌아서는 순간, 누군가 나를 불러 세웠다. 시낭송 수업을 소개시켜 주신 분이셨다. 내 표정을 읽으셨는지 티켓을 한 장 건네신다.

공연장에 들어서자 곧바로 공연이 시작됐다. 조용한 음악이 흐르고 유대준 시인의 '살구나무' 라는 시로 교수님의 낭송이 시작됐다. 교수님의 목소리는 사람을 끌어당기는 힘이 있었다. 장내 관객들의 감정이 잔잔한 바다처럼 일렁거리는 것 같았다. 계속 이어지는 몇 편의 낭송은 관객들의 마음을 사로잡을 수밖에 없었다.

낭송 사이마다 초대무대까지 만들어 풍성한 공연이 되었다. 경기도 민요 가야금 병창 '백돌아지' 는 아직도 귓가에 생생하게 남아 있다. 공연의 마지막에는 교수님이 직접 '꽃구름 속에' 를 부르며 끝이 났다. 교수님께서 낭송한 시의 시인들도 함께 참여한 공간 안에서 우리는 쉽게 자리를 떠날 수 없었다.

나는 수업을 더 열심히 들을 수밖에 없었다. 수업을 열심히 들으면 교수님처럼 상대에게 감동을 주는 시낭송을 할 수 있을 것만 같았다. 늦게 등록 된 수업이 아쉬울 정도였다. 우리의 시낭송 수업은 어느새 1학기 마지막을 향해갔다.

우리는 "공감 시낭송 하우스 콘서트"를 통해 각자 시를 한 편씩 낭송하기로 했다. 연습까지는 수월했지만 막상 무대에 선다고 생각하니 막막해지기도 했다.

시낭송 콘서트에서도 교수님의 꼼꼼한 성격은 빛을 발했다. 우리에게 힘이 될 손님들을 초대하시고, 꼼꼼한 자리 배치부터 화분의 위치 하나하나까지 직접 체크하러 다니셨다. '공감 시낭송 하우스 콘서트'의 모든 곳에 교수님의 손과 눈이 안 닿은 곳이 없었다. 교수님의 열정은 어디에서 나오는 걸까? 내 일을 사랑하고, 감사하는 마음에서 나오는 교수님의 모든 것들이 아름답게 느껴졌다.

콘서트는 교수님 시낭송을 시작으로 첫 포문을 열었다. 역시나 교수님의 낭송은 우리 모두에게 힘을 실어 주었고 수강생들의 긴장을 풀어 주기에 충분했다.

수강생 첫 순서로 김용택 시인의 <참 좋은 당신>이 낭송되었다. 첫 순서인데도 긴장감 없이 하는 모습을 보니 부럽기도 하고 한편으로는 나도 실수 없이 잘해야겠다는 욕심이 생겼다. 물론 너무 긴장을 해 중간중간 작은 실수를 하는 수강생도 있었지만 보는 이로 하여금 작은 웃음을 유발케 해 콘서트 분위기는 한층 더 부드러워졌다.

수강생들의 시낭송이 끝날 때마다, 교수님의 표정은 환하게 밝아졌다. 긴 시간동안 시낭송을 배운 건 아니었지만, 교수님의 행복한 미소를 보자, 더 잘하고 싶은 마음이 들었다.

내 차례가 다가오자, 손바닥에서 땀이 났다. 무대에 올라가 있는 시간이 어떻게 흘러갔는지 기억도 나지 않았다. 교수님의 얼굴이 다시 한 번 밝아지는 걸 보니 무사히 낭송을 마친 것만은 분명했다. 시를 모두 외우기는 했지만 나의 시낭송은 아직 국어책 읽는 수준이었다.

많은 사람들 앞에서 실수 없이 했다는 것만으로도 나에겐 큰 의미로 다가왔다. 새로운 자신감이 생겼다.

어느새 콘서트는 중반을 넘어 열기를 더해 줄 각종 대회에서 수상을 한 초대 손님들의 순서가 되었다. '용화 전국 시낭송대회'에서 대상을 수상한 문병란 시인의 <불혹의 연가>가 낭송 되었다. 우리 교수님만은 못했지만 마흔이 훌쩍 넘은 나에게 많은 공감을 불러일으킨 시가 아니었나 싶다.

또 다른 수상자의 낭송이 이어졌다 역시 우리 수강생뿐만이 아니라 큰 대회에서 상을 거머쥔 낭송자들도 긴장되기는 마찬가지인가보다. 프로들이지만 우리처럼 몇 차례의 실수가 있었다.

콘서트 열기는 더욱 고조되고 초대 손님의 통기타 연주에

맞춰 부른 가수 송창식의 노래 <우리는>을 다 같이 합창을 하며 우리는 진짜로 하나가 되었다. 마지막으로 정호승 시인의 <옆을 보라>의 낭송을 끝으로 첫 콘서트는 마무리 되었다. 나 스스로는 많은 아쉬움이 있었지만 그런대로 성공리에 막을 내렸다고 생각했다.

교수님을 포함해 모든 수강생들은 벌써부터 2학기 종강 콘서트를 기대했다. 지금보다 더 나은 실력으로 무대에 설 것을 한여름 밤의 촛불 의식을 통해 다짐했다. 나는 콘서트를 통해 또 다른 나를 발견하며 작은 희망의 씨앗을 본 것 같아 며칠 동안이나 들뜬 기분이 가라앉았다.

친구

요즘 친구들이 나를 울린다. 책을 내겠다고 발표 아닌 발표를 한 이후부터는 계속해서 오는 연락에 벨소리가 끊이질 않는다. 친구들은 자기 일 같이 기뻐하며 책을 수십 권씩 사겠다고까지 말한다. 나는 그럴 때마다 말마저도 고마워 눈물이 핑 돈다.

하지만 일기장에나 써넣어도 될 글을 괜히 큰 일로 벌리는 것만 같아 한없이 작아지기도 한다. 글을 쓴다는 것에 부담감이 생기자, 잘 써지지도 않는다. '나답지 않은 행동이었어. 어떻게 될지도 모르는데 말부터 했으니 어쩌지.' 요즘 매일 하는 생각이다.

나는 어릴 적부터 글 쓰는 걸 좋아했다. 그저 편지글을 모아서 책을 내보고 싶다고 막연하게 생각했다. 하지만 막상 내 글이 엮여 책이 되고, 전국 서점에 진열된다고 생각하자 어디서부터 어떻게 해야 할지 정신이 없다.

내가 책을 낸다는 사실은, 동창들과의 온라인 모임 카페에도 이미 공지가 되어 있다. 내 책이 마치 신춘문예 당선이라도 된 것처럼 들떠있는 친구들의 호들갑스러운 반응을 보면, 이젠 전화를 받는 것조차 무섭다.

'지금까지 쓴 글로는 책으로 묶기도 힘든데' 부터 '다음에 낸다고 말을 해 버릴까' 까지 매일 고민만 늘어난다. 한 편으로는 '내가 살면서 이런 걱정도 하다니…….' 감격스러워 즐거운 비명이 쏟아지기도 한다.

친한 친구들 모임에 다녀오는 날이었다. 그날 나는 얼마나 울었는지 모른다. 집에 가서 몸무게를 잰다면, 1킬로가 줄었을 거라 생각했을 정도로 눈물을 쏟아 냈다.

한 달에 한 번씩 친한 친구들끼리 점심을 먹는 정도의 모임을 갖고 있는데, 그날도 어김없이 친구의 샌드위치 가게로 모임 장소를 정했다. 나름 대단지 아파트 내에 위치한 샌드위치 가게였지만, 오래된 건물과 여기저기 생겨나는 새로운 가게들로 인해 겨우 유지되는 가게였다.

가끔 다른 음식을 먹을까도 싶지만, 친구의 정성이 있는 샌드위치와 친구를 도와준다는 마음으로 결국엔 늘 샌드위치 가게가 만남의 장소가 됐다.

그날 만남의 화제는 단연 내 책이었다. 다들 하나 같이 축하만 해 주는 통에 내 얼굴이 얼마나 붉어졌는지 모른다. 난 머릿속으로 한 가지 생각만 했다. 어떻게 더 좋은 글을 써서 친구들에게 좋은 결과를 보여줘야 할지에 대해서 말이다. 친구들에게 부끄럽지 않은 글을 보여 주고 싶었다.

조금은 낯간지러운 말들이 오고가고, 하나 둘씩 각자 집으로 흩어졌다. 일어나는 나를 붙잡은 건 샌드위치 가게를 하는 친구였다. 살짝 곁눈질을 하더니, 한 쪽 팔을 붙잡았다.

"잠깐만."

작은 목소리로 부르더니 가게 구석으로 끌어당겼다. 나는 의아해 했다.

"그동안 애 많이 썼어, 너."

친구는 내 손 안에 무언가를 억지로 쥐어 주었다. 내가 손을 펼칠 틈도 없었다.

"아이 넷……. 정말 노력 많이 했잖아. 너 하고 싶은 일도 다

미뤄두고… 지금까지 집만 지켰으니, 이제 바깥도 다녀야지. 안 그래?"

복잡한 생각을 정리하며, 억지로 손을 펼쳐 친구가 쥐여 준 게 무엇인지 확인했다.

오만 원권 몇 장이 아무렇게나 구겨져 손안에 있었다.

"뭐야, 너 미쳤어?"

대뜸 미쳤느냐는 소리부터 나왔다.

샌드위치 가게는 잘되는 편이 아니었다. 친구 또한 아이가 셋이나 돼, 넉넉한 형편과는 거리가 있었던 터였다. 나는 손을 뿌리쳤다.

"이 돈으로 아이들 맛있는 거나 더 사줘."

뿌리치는 내 손을 곧바로 따라잡는 친구의 손은 막무가내였다.

"이걸, 돈이라고 생각하면 너무 적어. 그냥 내 마음이라고 생각해." 내 마음이 침착해질 틈도 없이 친구는 말을 이었다. "전주에서 서울에 있는 출판사까지 오고 가려면 차비라도 넉넉하게 있어야지."

눈물이 왈칵 쏟아진다는 게 어떤 건지 그때 알았다. 오만 원권 네 장은 구겨진 채, 내 손에 들려 있었다. 20만 원. 샌드위치 가격이 떠올랐다. 샌드위치가 얼마나 팔려야 이 돈이 모일까. 조용히 주방 안에서 샌드위치를 만드는 친구의 모습이 눈에 선했다.

“굶지 말고, 맛있는 거 사 먹으면서 출판사 가야지.”

친구의 말을 듣자, 더 이상 그 돈을 안 받을 수가 없었다. 그건 네 장의 돈이 아니었다. 친구가 만든 샌드위치만큼 정성들인 마음이었다. 집으로 돌아가는 버스에서 눈물, 콧물 할 것 없이 계속해서 흐르는 통에 손수건이 다 젖을 정도였다.

누군가 나를 봤다면, 누군가가 죽었을 거라 생각했을 지도 모른다. 나는 친구의 마음이 너무 고마웠다. 그 마음을 눈물 빼고 어떻게 더 표현해야 할지 모를 정도였다.

매번 만나는 그 모임의 멤버들은 학교 동창, 직장 다닐 때 알았던 동료까지 다양한 친구들이 있는 모임이다. 각각 다른 곳에서 알게 된 친구들이었지만, 마음이 하나 같이 착하다는 공통점을 갖고 있다. 여자들 사이에서 한번쯤은 시기, 질투라도 할 수 있지만 이 모임에서는 그런 감정이 드러나고, 그런 이유들로 서로가 멀어지는 일은 단 한 번도 없었다.

나의 부족한 점을 그대로 보여줘도 그대로 이해하는 친구들이다. 본인들이 이틀을 굶어도, 하루 굶은 친구를 위해 자신의 숟가락을 내어주는 친구들. 억지로 가난을 숨길 필요도 없고, 서로에게 창피한 일도 없는 친구들. 책을 낸다는 것에 두려움을 느끼는 내게 용기와 희망을 주는 친구들이다.

그날 친구들의 만남이 더 기억나는 것은 그 뿐만이 아니었다.

“야, 내가 책 내는 기분이야!”

“난 신춘문예 당선된 느낌!”

“한미숙 작가님, 제 책에 사인해 주실 거죠?”

서로가 자신의 일처럼 기뻐하는 얼굴이었다. 각자 한 마디씩 나에게 건넨 말들은 마치 사진처럼 뚜렷하게 기억에 남아 있다. 가끔씩 글을 쓰다 막막해질 때면 기억 속 그 날의 사진을 한 장씩 빼내어 보곤 한다. 그러고 나면 거짓말 같이 내 스스로 위안이 되고, 이야기가 써지곤 한다.

내 책이 많이 팔리고, 적게 팔리고는 중요하지 않다. 내 마음에 담은 이야기들을 그대로 적었다는 것. 부끄럽지 않은 엄마, 딸, 며느리, 친구, 아내의 자리에서 최선을 다했기 때문이다. 오늘도, 내 마음 속은 여전히 화창하고 맑은 날이다.

나를 따르는 팬클럽 회장

너무 흔한 얘기지만, 사람의 인연은 어디서, 어떻게 불쑥 찾아오는지 모를 일이라고 생각한다. 결벽증 환자처럼 집안 청소만 하던 아줌마인 내가 평생교육원을 통해 많은 사람들을 만나 글을 쓰고 책까지 낸다는 건 정말 내 인생에 다시는 없을 수도 있는 행운의 인연이다. 예상치도 못하고 얻은 인연에 나는 아직도 깜짝깜짝 놀라곤 한다.

이 행운을 통해 최고의 인연을 뽑자면, 단연코 내 팬클럽 회장님이다. 속으로 '뭔 팬클럽까지?' 라고 생각하겠지만, 방송에서 보이는 오빠부대의 팬클럽이 아닌, 서로의 인연을 맺은 하나의 기념인 셈이라 생각하면 이해가 될 거라 생각한다.

나는 5월 달에 지인의 소개로 시낭송 수업을 등록했다. 이미 1학기의 절반이 지나버린 때였지만 좋은 수업을 놓칠 수 없었다. 매주 금요일 오전 10시. 어린왕자를 기다리는 사막여우처럼 수업 시간 전부터 행복함에 빠지곤 했다. 편안한 청바지에, 작은 시집을 옆구리에 끼고 길을 나서면 콧노래가 자연스럽게 흘러나왔다.

처음의 어색함도 잠시였다. 수업은 어느새, 6월 종강을 향해 가고 있었다.

우리는 서로의 수업을 기억하기 위해 시낭송 콘서트를 계획했다. 서로에게 의미 있는 시를 관객 앞에서 낭송하고 수업의 효과를 객관적으로 살펴볼 수 있는 좋은 기회였다. 내가 팬클럽 회장님인 국 선생님을 만난 건, 이 콘서트에서였다.

당시 사회를 하러 오신 국 선생님은 시낭송에도 관심이 있으셨는지, 우리의 낭송을 집중해서 듣고 계셨다. 나는 우리의 낭송이 끝낼 때마다 큰 박수를 보내는 모습에 국 선생님을 기억할 수 있었다.

우리는 무사히 콘서트를 끝낸 후 교수님의 의견 하에 시낭송 CD를 만들기로 했다. 그리고 녹음실에서 우리의 두 번째 만남이 이루어졌다. 국 선생님은 시낭송 콘서트에서도 뵌 분이었지만, 따로 친분이 있는 사이가 아니라 어색한 인사만 오갔을 뿐이었다. 알고 보니 선생님도 CD 녹음에 참여를 하러 오신 거였다.

"이 앞에 있는 마이크는 800만원 입니다."

누가 말을 했는지 기억나지는 않았지만, 정확히 800만원이라는 금액은 기억이 난다. 나뿐만 아니라, 모두들 놀라는 기색이었다. 사람들 앞에서 낭송 하는 것과 마이크 앞에서 낭송을 하는 것은 또 다른 떨림이었다. 그리고 심지어 800만 원짜리 마이크였으니, 마이크 앞에서 더 작아질 수밖에 없었다.

어색한 분위기와 떨림 때문이었을까? 국 선생님과 나는 긴장을 풀기 위해 서로에게 말을 걸었다. 서로 같이 힘내서 마이크를 이기자라는 단순한 대화들이었지만, 서로에게 긴장을 풀어 주기에는 충분한 대화였다.

며칠 후, 시낭송 CD를 받기 위해 간 모임에서도 우리의 만남은 이어졌다.

우리는 녹음한 CD를 다 같이 둘러 앉아 들었다. 떨리는 시간이었다. 누구는 자신의 목소리에 놀라고, 누구는 상대의 낭송에 칭찬을 해 주는 자리였다. 수업을 중간에 등록해 2개월도 채 듣지 않은 나는 내 목소리에 더 신경 쓸 수밖에 없었다. 괜히 내 목소리만 튀고, 남들보다 못한 것만 같아, 민망해졌다. 서로가 응원하는 밝은 분위기 속에서 국 선생님이 말을 걸었다.

"선생님은 어디 사세요?"

나는 우리 아파트의 이름을 댔다. 선생님을 놀랜 눈이었다.

"정말요? 전, 그 바로 옆 아파트예요!"

우리 집과 불과 50미터도 안 떨어진 곳이었다. 놀라운 건 이뿐만이 아니었다.

"요즘 같은 세상에 아이들 넷이면 정말 다산인데, 제가 아이가 넷이나 있습니다."

이번엔 내가 놀랐다.

"정말요? 저도 아이들이 넷이에요. 막내가 이제 겨우 초등학교 3학년이라니까요"

너무 놀라서, 놀랍다고 말 할 수 없을 정도였다. 하지만 여기서 멈추지 않았다. 선생님의 막내 아이도 초등학교 3학년이라고 하는 것이었다. 우리는 동시에 소리쳤다. "매봉초등학교?"

이래서 사람 인연은 모른다는 걸까. 작은 수업 안에서 이렇게까지 가까운 인연은 처음이었다. 초등학교 앞에서든, 아파트 단지 앞에서든 우리는 몇 번이나 지나쳤을 법한 인연이었던 것이다. 우리는 계속해서 신기한 우연에 대해 말을 이어 나갔다. 이제는 서로가 어디까지 더 밀접한 관계인지 시합하는 것만 같았다.

"혹시, 아이 이름이…?"

"경주요, 국경주입니다."

이래서 죄는 짓지 말고 살자고 했던가. 선생님 아이 이름을 듣자마자 무릎을 탁치고 말았다. 경주라면, 막내아들 태민이와 1학년 때부터 친하게 지낸 친구였다. 내가 혹시라도 아이들 놀이에 꿀밤이라도 준적은 없는지, 태민이에게 경주 흉을 본 적이 있는지 곰곰이 생각해봤다. 다행이도 그런 일은 없었다,

"우리 아들 친구네요! 우리 아들 이름은 태민이에요. 혹시 아세요?"

아무래도 아이들의 아빠는, 엄마보다 아이 친구들을 잘 모른다. 그래도 혹시나 하는 마음으로 물었던 것이다. 국 선생님은 태민이라는 이름을 아이에게 자주 들었다며, 나와 같은 표정을 지었다.

같은 동네, 같은 4남매, 같은 초등학교 학부형, 아이들이 친하다는 사실은 지나가는 우연이라기엔 너무 신기할 정도였다.

이런 인연의 덕분으로 국 선생님은 책을 낸다는 내 소식을 듣고, 망설임 없이 내 팬클럽 회장을 맡겠다고 하셨다. 이름하여, <한.글.사.모>, '한미숙의 글을 사랑하는 사람들의 모임'이라는 그럴싸한 이름까지 지어 주셨다.

처음 내가 주부라는 이름을 벗어 두고 글을 쓴다는 것도 놀라운 일이었지만, 한 권의 책을 만들어 세상에 내놓는 일과 이렇

게 좋은 인연을 맺은 사람들이 주변에 꽃밭처럼 피어있다는 것은 상상도 못 할 일이다.

아직까지는 깔끔한 주부가 내게 더 어울리는 일이 아닐까 생각도 해 본다. 내 안에서 아직까지 남아 있는 두려움 때문이다.

'과연 내가 잘 할 수 있을까?'

'나는 좋은 작가가 될 수 있을까?'

속으로 끊임없이 질문을 던지곤 한다.

하지만, 이렇게 우연인 듯 필연 같은 인연을 만나고 나면, 그래도 내 선택이 잘 했다고 생각한다. 가끔은 이런 생각을 하게 된다. 마음 약한 나에게 용기를 심어 주는 좋은 인연들이 생긴다는 게, 누군가가 잘못 보내는 선물이 아닐까, 하고 말이다. 복이 터지게 굴러 들어온다고 생각하니 생각만 더 많아지는 것도 있다. 비록 누군가 잘못 보내서 나에게 잘못 온 선물이라 해도 이미 나에게 온 이상 놓치지 않고 끝까지 함께 이어나가야겠다고 생각한다.

관계의 힘을 생각하고, 나는 오늘 내 안의 든든한 인연들을 생각하며 기운을 낸다.

세상에,
혼자 서울을 가다

서울을 올라가기 위해 홀로 버스 터미널로 향하는 길이었다. 결혼 후 처음 느끼는 감정이었다. 감수성에 젖은 고등학생 소녀처럼 모든 것들이 새롭게 다가왔다. 버스 터미널까지 나를 데려다 준 택시 기사님은 잘 다녀오라는 인사를 건넨다. 터미널 안 사람들은 분주하다. 걸음 끝에서 쏟아지는 발소리가 경쾌하게 울려 퍼진다.

터미널 시간표에 붙어있는 여러 지역들, 각기 다른 방향으로 흩어지는 사람들. 나는 그 속에서 서울행 버스 시간만 멀뚱하게 바라보고 있었다.

마지막으로 소풍을 간 게 언제였지? 나는 소풍 전 날의 마음이 된다. 비가 오지 않았으면 하는 마음으로 밤새 하늘을 지켜보던 어린 눈망울을 기억해 낸다. 어린 아이처럼 들뜬 마음을 주체할 수 없었다.

하얀 구름 모자를 만들어 쓴 산과 깍지 낀 손으로 사이좋게 방음벽을 기어오르는 담쟁이넝쿨. 이 모든 바깥 풍경들이 희망으로 가득한 노래로 바뀌어 내 귓가에 머문다. 이른 새벽까지 쏟아지던 빗줄기가 줄어들자 하늘이 푸르게 빛이 나기 시작한다.

금방 다시 비를 흩뿌릴 것 같은 먹구름과 부드러운 양털 모양의 푸른색 구름이 하늘 가득 새겨 있다. 차창 밖으로 포도밭이 지나간다. 비를 머금고 영글어진 포도알이 한 줌의 햇살이라도 더 받기 위해, 고개를 내밀고 있다.

버스 안은 한가로움으로 가득하다. 누군가의 방해도 없이 오롯이 혼자 버스를 탄 일이 언제였는지 헤아려보려 하지만 쉽게 떠오르지 않는다. 창밖의 배경은 계속해서 재빠르게 모습을 바꾸고 있다. 어렴풋한 추억 속에 묻어 둔 기억들이 과거에서 빠져나와 현재의 나를 불러 세운다. 나는 열여덟 살의 소녀가 되어 과거로 가는 버스에 올라탄다. 추억이라는 정류장을 지나쳐 헤매는 사이, 버스는 서울에 도착했다.

처음으로 혼자 올라온 서울은 여전히 복잡했다. 어지럽게 나열된 건물들과 자동차 속에서 헤매는 나를 위해 출판사 직원이 직접 마중을 나왔다.

오늘 내가 이렇게 들뜬 마음으로 홀로 서울에 온 이유는 출판사와의 계약 때문이었다. 지하철은 미로처럼 복잡했다. 따라오라는 직원의 등으로 똑바로 보고 뒤쫓아도 주변의 사람들 때문에 금방이라도 길을 잃을 것만 같았다.

숨 돌릴 틈도 없이 올라 탄 지하철에서 나는 새로운 서울을 만날 수 있었다. 차장 밖으로 흐르는 배경은 아까 버스에서 본 배경과는 사뭇 달랐다. 이제 막 눈을 뜬 갓난아이처럼 모든 것들이 신기하게 느껴졌다.

출판사에서의 계약은 순조로웠다. 주변 사람들의 응원에 두려움을 떨쳐냈지만, 막상 계약까지 하게 되니 떨리는 마음을 감출 수가 없었다.

계약을 위해 서울로 올라온다는 소식을 들은 친구가 근처로 찾아왔다. 점심 식사 후, 서울을 구경시켜 준다며 내 손목을 잡아 이끌었다.

화면으로만 보던 광화문에 다다르자, 이순신 장군 동상이 보였다. 남들은 그게 대수냐고 하겠지만, 서울은 지방에서 오랜 시간을 보내온 나에게 어느 유명 관광지와 마찬가지였다. 한 차례 비가 쏟아지고 난 뒤였지만 무더위는 꺾이지 않았다. 하지만 나는 더위에 아랑곳하지 않았다. 제일 먼저 청계천을 둘러보았다. 시원한 물 안에 두 발을 담근 연인들을 보자 더위가 사라지는 느낌이었다. 다시 한 번 비가 쏟아질 것 같았지만, 모처럼 서울을 구경할 수 있는 기회를 놓칠까 빠르게 발을 움직였다.

경복궁은 더위 탓인지 한산했다. 장엄한 궁 앞에서 나는 잠시 넋을 잃고 말았다. 끈적끈적한 공기와 흩날리며 내리는 안개비에 곳곳을 둘러보기엔 불편했다. 하지만, 친구와 함께 다정하게 팔짱을 끼고 고궁을 산책하는 것은 꽤나 즐거운 일이었다.

내가 방금 전까지 궁 밖에서 본 복잡한 서울의 거리와는 반대의 공간이었다. 차분한 자연에 기대어 있는 고궁, 긴 역사의 숨결이 곳곳에서 살아 숨 쉬는 공간이 도심 한복판에 있다는 게 놀라웠다. 안개비마저 고궁과 함께 특별한 분위기를 연출했다.

오늘 나는 새로운 일을 시작하기 위해 긴 거리를 달려왔다. 이 거리는 전주에서 서울이라는 물리적 거리가 아니었다. 내 인생의 길이 속에서 긴 시간들을 달려온 셈이다. 딸, 며느리, 아내, 엄마의 삶은 앞으로도 이어져 나갈 나의 시간들이다. 하지만 그 시간 속에서 나는 내 이름을 잊고 살아왔다.

나의 지나온 시간들을 되짚어보면 새로움과는 무던히도 멀리 떨어져 있었다. 새로운 가족을 만든 이후 나에게 다가온 새로움은 아이들의 성장뿐이었다. 이렇게 사는 게 정답이라고 아무도 강요한 적 없었던 내 삶이었다. 스스로 만든 결과물은 남들과 다르지 않은 시간에 머물고만 있었던 것이다.

내 삶과 시간은 아직도 유효하다. 시간은 흐르고 나도 움직여야 한다고 생각했다. 그 날 나는 조용한 경복궁 뒷마당을 친구와 함께 걸으며, 내 이름을 더 껴안아 줄 준비를 마친 것이다.

되돌아갈 버스 시간이 다가왔다. 친구는 짧은 만남이 아쉬웠는지 고속버스터미널까지 배웅을 해 주었다.

"다음에는 더 좋은 곳으로 안내해 줄게."

내 손을 가만히 붙잡은 친구가 말했다.

버스에 앉아 밖을 바라봤다. 친구는 여전히 그 자리에서 내가 탄 버스를 쳐다보고 있었다. 버스가 터미널 입구를 빠져나갈 때까지 멀리서 손을 흔들던 친구는 이내 작아졌다. 나는 친구의 뒷모습에서 긴 세월을 읽어낸다. 서로 함께한 시간들이 찬찬히 펼쳐지는 것만 같았다.

더 좋은 곳은 어디일까. 오늘 나는 새로운 시작을 약속하고 새로운 나를 약속했다. 친구의 말에서 더 좋은 나의 삶을 생각해내는 건 어렵지 않았다.

친구와의 만남이 길지 않은 탓인지 아쉬움이 컸다. 만남의 소중함을 떠나, 함께 새로움을 만들었다는 것에 더 행복함을 느꼈다.

나는 그날 저녁 쉽게 잠이 들 수 없었다. 두려움 앞에서 무너졌다면, 오늘의 이 감정이 언제 다시 찾아올지 모를 일이었다. 잠에 빠져들면 이 감정들이 순식간에 사라지고, 보통의 내일이 시작될 것만 같아 불안하기도 했다.

오늘 나는 잘 했다.

모처럼 내 자신에게 칭찬을 하고 싶었다. 버스로 오고 가는 시간 속에서 피곤할 만도 했지만, 내가 잘 한, 오늘 일이 쉽게 머릿속을 떠나지 않았다.

내일 소풍을 떠나는 어린 내가 또다시 찾아 온 밤이었다. 쉽게 잠이 들 수 없었던 설레었던 모든 날들이 한꺼번에 쏟아질 것만 같았다. 서울 지하철에서 미로 같은 길을 헤맸지만, 분명한 길을 찾았던 것처럼. 오늘의 나는 미로 같이 엉킨 삶이라는 길 속에서도 나만의 분명한 길을 찾을 수 있을 거라 생각했다.

눈을 감았지만, 여전히 쉽게 잠에 빠질 수 없는 날이었다.

6년의 직장생활

고등학교 졸업 후, 나는 집안 형편상 대학에 진학하지 못했다. 고등학교에 다니는 남동생과 함께 시골집에서 따로 나와 살았다. 어떤 일을 어떻게 시작해야 할지 막막했던 시간들이었다. 졸업 후의 시간이 길지 않았던 시기였지만, 매일 마주하는 막막함에 스스로 시달렸다.

오랜만에 초등학교 담임 선생님께 전화를 드렸다. 선생님은 여전했다. 어렸던 나를 대하듯, 어린아이를 대하는 듯한 말투다. 선생님과 통화를 할 때면 나는 그 시절 어린아이가 되는 기분에 사로잡혔다. 선생님의 인정 깊은 목소리에 내 기분이 나아지는 탓인지 나는 선생님께 안부 전화를 곧잘 드리곤 했다.

선생님은 나의 안부를 물으시며, 내 막막함을 엿보았던 것 같다. 며칠 후 선생님께 먼저 전화가 걸려왔다. 선생님 지인이 다니는 ㈜삼양사에서 직원 모집을 하니, 필기시험을 준비하라고 하셨다. 당시 재직 중인 직원의 추천서가 없으면 필기시험의 기회도 없던 때였다. 나는 뜻하지 않은 행운에 필기시험 준비를 했다.

그렇게 나는 필기시험과 면접에 합격해, 1987년 첫 출근을 하게 됐다. 첫 직장이라는 것에 얼마나 마음이 떨렸는지 모른다. 첫 월급은 기억나지 않지만, 월급봉투에 뚜렷하게 찍힌 내 이름 석자는 아직도 잊히지 않는다. 나는 월급으로 남동생의 학비를 냈고 생활비와 저축을 하며 직장 생활을 이어나갔다.

교대근무는 쉽게 적응할 수 없었지만, 시간이 흐르고 나니 자연스럽게 익숙해졌다. 토끼눈을 하고 야근을 할 때는 책상 밑에 숨겨 두었던 소설책을 몰래몰래 꺼내보기도 했다. 가끔 조장님에게 걸려 눈총을 받기는 했지만, 야근 때 읽었던 소설들은 아직도 내 기억에 오래 남아있다.

입사한지 3년이 지났을 때였다. '뿌리'라는 분임조 품질 관리 분임장을 맡게 되었다. 분임장이라는 자리에서 뒤처지지 않기 위해 열심히 공부했다. 선배들의 자료를 분석하고 품질 관리 개선점에 대해 많은 의견을 냈다. 같은 팀원들과의 사이도 무척 원만했다.

이런 노력 덕분이었을까? 내가 맡은 뿌리 분임조는 업무 결과를 통해 우수상을 타게 되었다. 부상으로 팀 전원이 포상금과 휴가를 얻게 되었다. 우리는 다함께 얻은 휴가로 거제도를 여행했다. 난 이 여행기를 글로 남겼고, 글이 사보에 실리기까지 했다. (24년 전, 사보에 실렸던 내 글을 찾기 위해 노력했지만 찾을 수 없었다. 오래전 글을 찾으려 애써주신 삼양홀딩스 홍보팀 부장님께 이 자리를 빌려 감사드린다)

회사 생활은 즐거움의 연속이었다. 내가 스스로 발전 할 수 있는 부분이 충분했다. 아직도 회사 생활을 떠올리면, 힘들었던 기억보다 이런 기분 좋은 기억들이 먼저 떠오른다.

나는 이뿐만 아니라, 노동조합 상집위원으로도 활동을 했다. 이 활동은 부담스러운 부분이 있었다. 임금 협상 부분이 있었기 때문이다. 입금협상이 결렬되면 당연히 미안한 마음이 먼저였고, 타결이 되면 낮은 상승폭 때문에 똑같이 미안해질 수밖에 없었다. 회의 결과를 들고 갈 때마다 잔뜩 기대하며 귀를 쫑긋 세우는 모습들이 아직도 뚜렷하다. 그래도 '우리'의 의견을 '내'가 발언하고 협상할 수 있다는 건 보람 있는 활동이 확실했다.

남동생이 고등학교 졸업을 한 후, 회사 기숙사로 들어갔다. 엄한 규율이 없는 기숙사 생활은 자유스러운 분위기였다. 나는 회사 친구들과 밤늦도록 볼링을 치고 기숙사 문이 닫히기 직전에 겨우 기숙사에 들어가기 일쑤였다. 가끔 문이 닫혀 있는 날도 생겨, 경비 아저씨를 깨우고 나서야 기숙사에 발을 들이는 일이 생기기도 했다. 나는 나의 이십대, 경비아저씨의 꾸중까지 그리워지는 때가 있다.

회사에서의 노력한 시간들을 지금도 쏟을 수 있다는 게 더 행복한 요즘이다. 나에겐 회사 생활의 기억들이 자극제처럼 느껴지기도 한다. 최선과 열정을 다하면, 좋은 결과가 그때처럼 나올 것만 같다.

나는 기숙사에서 두루 친하게 지냈는데, 아래층의 후배 또한 마찬가지였다. 후배는 얌전한 성격에 말수가 적었다. 볼링을 같이 치러 가자는 말에는 조용히 미소만 보이던 아이였다. 그래도 사원들과 어울리는 것에는 소극적이지 않은 아이로 직원들과의 관계는 좋았다. 괜히 삼삼오오 모여 남 험담을 하는 사람들 보다는 훨씬 나은 아이였다.

내가 이 후배를 더 기억할 수밖에 없는 이유는 갑작스런 죽음 때문이다. 한 번도 힘든 내색이 없던 후배는 스스로 목숨을 끊었다. 나는 후배의 방문을 지나치는 일이 있을 때마다 두려운 마음이 앞섰다. 그래서 일부러 그 층을 피해 다녔던 기억이 있다.

죽음이라는 단어에서 느껴지는 두려움과는 달랐다. 내가 후

배와 함께 지내면서 더 보듬어주지 못했다는 두려움이었다. 물론, 후배에게 나쁜 말을 생각 없이 던졌다거나 하는 일은 없었다. 하지만 표면적인 관계처럼 그 아이의 내면을 알아차리지 못했다는 게 제일 아쉬울 뿐이다.

나는 마음이 아팠던 후배의 영전 사진 앞에 글을 한 편 올렸다. 내 글이 죽은 그 아이에게 닿을 수는 없겠지만, 혹시 마음이라도 닿을 수 있지 않을까 하는 마음에 그 시를 이 곳에도 옮겨 적는다.

그곳에서는 부디, 아프지 않기를 진심으로 바란다.

<착한 여자>

한미숙

당신에게는

한낮 사치로 여길 수밖에 없었던 죽음마저도

어느 날 당신은 떨어지는 가을날의 낙엽처럼 붉게 물들이며

못 다한 이승과의 인연의 끈을 그렇게 말없이 놓아 버렸습니다.

얼마나 힘들었습니까!

얼마나 아팠습니까!

또 얼마나 큰 괴로움이 당신을 애워 쌓았기에 이처럼 쉬이

천사의 날개를 찾았는지 나는 아직도 잘 모르겠습니다.

복사꽃 얼굴 가득 피우고

풋풋한 분홍 향기 품어 웃는 나비처럼

당신은 바보스러울 만큼 소박하고 착한 여자였습니다.

살아라!

사람이 찾는 일이 살아남는 일이라

한때는 내 곁에 목숨 살았던 당신이지만

어느 날 문득 아무런 변명도 핑계도 없이 홀연히 떠나버린 당신을 생각하며

당신만큼이나 지나치게 소박하고 겸손한 하얀 국화꽃 한 송이에

당신과의 모든 기억을… 추억을… 담아 이제는 떠나보내렵니다.

부디 좋은 기억만을 가지고 가시기 바랍니다.

- 1992년 당신이 떠난 어느 허전한 날에

인생 반전 결혼

결혼은 나의 삶에 큰 변화를 가져왔다. 큰 변화라는 건 누구라도 마찬가지일지 모른다. 그래서 결혼이라는 건 쉽게 결정할 수 없는 선택이기도 하다. 결혼 후의 내 생활은 큰 변화가 아닌 정반대로 바뀌었다. 결혼을 한 것이 불행하다는 말은 절대 아니다. 모든 생활이 '나'에서 '우리'로 자연스럽게 옮겨 간 일이었다.

제일 큰 변화를 뽑자면 옷이었다. 나는 회사를 다니면서 꽤나 여유로운 생활을 해 왔었다. 교대 근무의 특성상 돈을 쓰는 시간이 자유롭지 않다 보니, 한 번씩 쇼핑을 나갈 때마다 비싼 옷들을 사들였다. 선호하는 옷들은 꽤나 값비싼 브랜드였다. 특히, 보너스를 받으면 한 벌에 40만원, 통 크게는 50만원까지 육박하는 금액을 지불하고는 했다. 그만큼의 여유는 갖고 살았던 나였다.

1980년 대 후반, 1990년 초의 일이었으니 20년도 더 된 이야기다. 지금 생각해 보면 당시의 옷값으로는 사치가 아니었을까 싶을 정도로 값비싼 옷들이었다. 결혼 전 남편은 옷을 좋아하는 내 환심을 사려했는지, 옷을 사러 가자고 했다. 나는 당연히 늘 사 입던, 값비싼 브랜드 가게로 들어갔다. 남편은 그 자리에서 40만원이 넘는 옷값을 내고 말았다.

남편을 처음 만났을 때를 떠올리면 소매 끝이 닳아있던 셔츠에 대한 기억이 제일 먼저 떠오른다. 옷에 무심한 보통의 남자였다. 그런 남자가 내 손에 이끌려 40만원을 옷값으로 냈을 때 어떤 생각을 했을까 싶기도 하다. 하지만 겉으로는 티가 안 났던 터라 나도 그 당시에는 아무 생각 없이 넘겼다. 한편으로는 당연하다는 생각까지 했었다.

결혼 후에는 당연히 내 스스로 값비싼 옷들을 끊었다. 직장생활을 하지 못했던 이유도 있었을 뿐더러, 아이들을 줄줄이 낳다보니 내 옷 보다는 우리 아이들 옷에 더 눈이 갔다. 그리고 당시 남편 월급만으로 생활하면서, 값비싼 옷들을 산다는 건 엄두도 내지 못할 일이었다. 아이가 넷인 지금은 만 원짜리 티 한 장을 사려 해도 열 번도 더 생각하게 되는 일이 다반사다.

너무도 달라진 생활은 옷뿐만이 아니다. 나는 결혼 전 틈만 나면 국내 이곳저곳으로 여행을 다녔다. 멀리 나갈 수 없을 때는 가까운 산이라도 오르며 여행을 대신했다. 집안에서의 생활보다 바깥 활동에 취미가 더 많았다. 쉬는 날에는 영화를 즐겨 봤고, 쉬는 날이 아니더라도 근무 시간 후에 직장 동료들과는 시간이 날 때마다 볼링을 치며 스트레스를 날려버렸다.

하지만 공무원 아내로 살다 보니 모든 것이 경제적인 것부터 앞섰다. 물론 네 아이를 키우는 일에 몰두해야 하다 보니 밖의 취미는 천천히 사라져 갈 수밖에 없었다. 지금 두 명의 딸아이가 예술을 전공하고 있으며, 막내의 뒷바라지까지는 아직 긴 시간이 남아있다. 가끔은 예전처럼 멀리 다니며, 다양한 생활을 영유하고 싶은 마음이 굴뚝같다. 그게 아니더라도 큰 돈, 시간을 안 들이고 쉽게 할 수 있는 취미를 다시 갖고 싶다고 생각한다. 하지만, 언제나 마음으로만 끝나고 말았다.

지금은 독서클럽과 글쓰기 수업을 참여하면서 많은 후회가 밀려온다. 지금이 아닌 그 이전에도 충분히 시간을 낼 수 있었던 일이었다. 시작도 하기 전에 내 스스로 포기하고 밀어 두었던 일들이었던 것이다.

결혼 전 나는 책 읽기와 편지 쓰기, 시 쓰기에 취미가 있었다. 근무 시간 책상 밑에 숨겨두고 몰래 읽었던 책들, 멀리 있는 친구에게 30장 넘게 쓴 편지, 연습장 안 빼곡하게 적힌 시들. 이런 것들이 한 번에 밀려올 때가 있다. 친구들은 내 편지를 받고 지루한 틈 없이 한 번에 읽어 나갔다고 했다. 가끔씩 글을 써보는 게 어떠냐며 질문을 받기도 했던 이유 중 하나였다.

결혼과 동시에 점점 내부, 외부에서 포기해야하는 것들이 많아졌다. 직장 생활 보다 바쁜 결혼 생활은 내 발목을 붙잡고 놓아주지 않았다. 내 발목에 족쇄라도 채워진 것처럼 나는 스스로 제자리에 박혀 있는 기분이었다.

하지만 지금 누군가가 나에게 결혼 전으로 돌아가고 싶냐 묻는다면, 망설임 없이 곧바로 아니라고 대답할 수 있다. 물론 나에게도 후회의 시간은 있었다. 나도 사람이다 보니 한 때는 결혼 전 생활을 동경하며 찾아 헤매던 적도 있었다. 하지만 네 아이가 자라는 걸 보며 다시 제자리로 돌아오곤 했다. 내가 선택하고, 찾은 다른 식의 행복이었다.

모든 행복은 상대적이라고 생각한다. 자신이 갖고 있지 않은 것을 누군가 갖고 있을 때 갖는 질투는 누구나 있다. 내가 갖고 있는 것만으로 행복함을 느끼는 건 쉽지 않다. 내가 결혼으로 놓친 일은 물론 많다. 그러나 뜻밖의 행복을 얻은 것도 많다. 결혼 전 내가 가졌던 여유와 행복이 더 좋아보였던 내가 가끔 나타나기도 하고, 결혼 후 나의 삶에 행복을 보는 내 자신도 발견하게 된다. 나는 그렇게 생각한다. 어떤 누군가는 나를 보며 행복해하지 않을까 하고 말이다. 지금의 나는 여유와 행복을 모두 잡았다. 넉넉한 가족의 수만큼 행복해졌고, 내 스스로 만든 여유에 빠져 좋아하던 일을 되찾았다. 친구들은 이제야 내가 제대로 바람났다고 말한다.

나도 스스로 천상 주부인 내가 제대로 바람났다고 말한다. 물론, 글쓰기로 말이다.

이제야 알게 된 것이다

왜 그랬는지 나는

행복한 미소를 지었던 것도 말이다

그리고 그 말과 함께

없다고 했던 말들이 떠올랐다

투정부릴 시간도

언젠가 아이들이 꿈을 가진 후

친구가 책을 냈다 열 받았다

'유준원이 <거절을 거절하라> 라는 책을 냈습니다. 많은 관심 부탁드립니다.'

어느 날 친구에게서 문자가 왔다. 결코 그냥 지나칠 수만은 없는 문자였다. 이 문자는 내 인생의 전환점에 싹을 틔우게 됐다.

올해 초 만해도 나는 우울증으로 모든 일에 무기력해져있었다. 내가 집에서 누굴 위해서 모든 일을 해야 하는가에 대한 질문이 생기기 시작했다. 평소에 생각도 안 했던 질문들을 속으로 끊임없이 했다. 나는 가정주부 생활 속에서 회의감에 사로잡혀 있었던 것이다.

이런 감정들이 생겨나는 중에 받게 된 친구의 문자는 모든 무기력과 회의감을 뒷전으로 미루게 했다. 친구가 낸 책이 어떤 내용일지 궁금했다. 한편으로는 부러운 마음이 더 컸는지도 모른다. 한 때 나도 글을 제법 쓴다는 소리를 들었던 때가 있었다. 나도 노력했다면, 이 친구처럼 아니 이 친구보다 더 빠르게 책을 낼 수 있었을 텐데, 하는 생각이 들었다. 난 고민도 없이 한걸음에 서점으로 달려가 책을 구매했다.

노란색의 표지에서 빛이 나는 것만 같았다. 자신의 얼굴까지 환하게 앞표지에 넣었다. 크게 보면 책 내용은 온통 세일즈맨만을 위한 책 같아 보였지만, 마지막 페이지까지 읽고 덮는 순간 이 책이 내 인생에서 나침반 같은 역할을 할 수 있을 것도 같았다. 자신의 삶과 하는 일을 엮어서 진솔한 책을 만든 것이다. 나는 도서 리뷰에 '고객의 대통령'이라는 제목으로 글을 올렸다.

그리고 책을 들고 사인을 받으러 갔다. 어렴풋한 기억 속에만 있는 친구였다. 하지만 나도 이제 작가 친구가 있다는 생각에 왠지 모를 뿌듯한 마음이 들었다. 유 작가에게 내가 적은 리뷰를 말해 주자, 안 그래도 자신의 책을 자세히 읽고 단 리뷰의 주인공이 궁금했다고 했다.

평소에 책을 읽고, 글을 쓰는 것을 좋아한다는 내 말에 유 작가는 반색을 했다. 그리고 자신이 참여하고 있는 독서클럽을 추천해 줬다. 독서클럽을 나간 지 2주 만에 나는 시낭송 수업까지 소개 받아 참여를 하게 됐다. 인생이 바뀐 기분이었다. 좋아하는 일에 대해 막연한 생각만 하던 내가 직접 움직이게 됐다는 게 가장 큰 변화였다.

요즘엔 이런 문학 수업 외에도 중국어 수업을 들으며 배운다는 것에 큰 기쁨을 맛보고 있다. 많은 것을 배우려다 보니, 몸을 바쁘게 움직여야 하지만 힘들지는 않았다. 언젠가 아이들이 꿈을 가진 후 투정부릴 시간도 없다고 했던 말들이 떠올랐다. 그리고 그 말과 함께 행복한 미소를 지었던 것도 말이다. 왜 그랬는지 나는 이제야 알게 된 것이다.

유 작가와는 함께 독서클럽에 참여하며 많은 대화를 나누게 되었다. 그러던 중 유 작가는 우연히 내가 쓴 글을 보고 놀란 표정을 지었다.

"네가 쓴 거니?"

유 작가는 글을 더 써서 한 권의 책을 만드는 게 어떻겠냐고 제안을 했다. 유 작가는 작가이기도 했지만, 출판사 대표였다는 것을 그제야 깨달았다. 아무리 요 근래 책을 많이 읽고 글을 쓰는 나지만, 책을 내리라는 생각까지는 할 수 없었다.

"내가? 어떻게? 감히?" 나는 오로지 이 생각에 사로잡혀 결정도 못한 채 안절부절 시간만 흘렀다. 며칠 동안 고민에 휩싸여있었다. 생각해 보면, 하고 싶은 마음 때문에 고민을 하지 않았나 싶다. 쉽게 대답을 할 수 없었던 이유는 너무 하고 싶었지만, 자신감이 없었고, 안 한다고 하기엔 후회 할 것 같았기 때문이다. 다시 그 상황으로 간다면 똑같은 고민을 하지만, 똑같은 선택을 하지 않았을까 싶다. 후회가 남지 않는 지금의 선택대로 말이다.

작가 친구와의 만남을 통해 다시 시작한 글쓰기 공부, 활동하는 나를 되찾은 일은 내 인생의 큰 전환점이 되었다. 그리고 이 전환점을 계기로 책을 내는, 작가가 된다는 큰 성과를 얻게 됐다.

나는 지금까지 나에게 가장 잘 어울리는 건, 앞치마와 행주, 빨간 고무장갑이라 생각했다. 하지만 이 전환점을 통해 나에게도 더 잘 어울릴 수 있고, 잘 어울리고 싶은 일이 생겨났다. 올해 초 생겨나려던 우울증이 사라진 건 이 때문이다. 책 읽기와 글쓰기가 지금까지 쌓은 우울증이 터지지 않도록 꽉 조여 주었기 때문이다.

만약 이 작가 친구를 만나지 않았다면 나는 지금도 내가 꼭 해보고 싶었던 일을 꽁꽁 숨긴 채 앞치마를 두르고 한 손에는 걸레를 또 한 손에는 행주를 들고 더 깊어진 결벽증 안에서 하루하루를 바쁜 걸음으로 동동거리며 살았을 것이다.

이런 바깥활동을 하면서 절대로 고쳐지지 않을 것 같았던 내 결벽증의 농도가 조금은 얕아진 것 또한 감사할 일이다.

그동안의 내 시야가
얼마나 좁았는지
내가 만든 기준이
얼마나 얄팍했는지
깨닫게 되었다
아이들에게 들이밀었던
기준이 어리석었다는
생각마저 들었다

중국어 수업

친구의 소개로 시작한 독서클럽과 시낭송 수업에 이어, 여성교육 문화센터에서 운영하는 중국어 수업을 듣기로 했다. 이런 변화들 사이에서 제일 놀란 건 내 자신이다.

지금까지 내 시야는 오직 집과 시댁, 간간히 모임을 갖던 친구들을 통해 보던 세상이 전부였다. 텔레비전으로 보이는 바깥은 그저 네모난 상자 안의 다른 세상이었다. 가끔 남편의 친구들과 부부동반 모임에서 언뜻 들었던 소식만으로 내가 보지 못한 것과, 겪지 않은 것을 상상했다. 나는 스스로 움직이지 않고 늘 무언가를 통해서 알았던 것이다.

이런 상황에서 세워진 내 기준은 얕을 수밖에 없었는지 모른다. 나는 이 기준이 내 전부인 것처럼 아이들에게 강요했다. 하지만 불과 몇 개월 사이에 넓어진 시야로 세상을 둘러보자, 그 동안의 내 시야가 얼마나 좁았는지 내가 만든 기준이 얼마나 얄팍했는지 깨닫게 되었다. 아이들에게 들이밀었던 기준이 어리석었다는 생각마저 들었다.

내가 집이라는 울타리에서 벗어났을 때, 결벽증은 자연스럽게 풀어졌다. 나만큼 좋아한 건 주변의 가족과 친구들이었다. 지나칠 정도로 집착 하며 품에서 놓지 않으려했던 아이들마저 자유롭게 풀어 놓았다. 나는 내가 아이들을 구속하지 않으면 금세 나쁜 아이들로 변할 거라 예상했었다. 하지만 아이들은 내 시선이 닿지 않는다고 해서 결코 어긋나거나 자신들의 위치를 잊지 않았다.

내가 만든 울타리는 단단했지만, 옳지만은 않았다는 걸 알 수 있는 일이었다. 그래서인지 나는 더욱 힘을 받아, 바깥을 향해 발걸음을 옮기고 있는지 모른다.

수요일 오전마다 시작하는 중국어 수업은 다른 수업과 마찬가지로 모든 집중력을 쏟게 되는 수업이었다. 심지어 다른 나라의 언어이다 보니 잠깐 놓치면 금세 뒤처지고 말았다. 영어와 일어는 수박 겉핥기식으로 대충 배운 적이 있었다. 하지만 잠깐 손에서 놓아버리고, 꾸준하게 연습하지 않으니 언제 배웠냐는 듯 기억이 가물가물했다.

나는 중국어만큼은 정확하게 배우고 싶었다. 이번에는 수박 속까지 야무지게 파먹겠다는 각오로 귀를 세워 수업에 집중했다. 수업을 진행하는 원어민 선생님은 한국의 속담에서 사투리, 요즘 아이들이 쓰는 은어까지 한국인인 나보다 더 많이 알았다.

한국인 남자와 결혼해 스스로를 한국인이라고 말하는 선생님은 수업 사이사이 전라도 사투리를 섞어 농담을 던지기도 하신다.

내가 정말 늦바람이 난 건지도 모른다. 학창시절 그렇게 수업 시간에 졸았는데 이번엔 어림도 없었다. 늘 맨 앞자리에 앉아 선생님의 수업을 듣는다. 하지만 내 기억력은 학창시절의 절반으로 떨어져 있는지 수많은 한자에서 방황을 하게 된다. 한편으로 드는 생각은 '아, 한자반도 등록을 할까?' 다. 예전이라면 대충 넘겼을 것들에 궁금해 하고 더 배우고 싶어 하는 내 자신이 낯설게 느껴졌다.

매일매일 집안을 쓸고 닦는 일에만 집중 하는 나에게 둘째가 했던 말이 갑자기 떠올랐다.

"왜 엄마는 그렇게 쓸데없는 일에 목숨을 걸고, 에너지를 소비해?"

그땐 제대로 듣지도 않았던 말이었다. 지금은 그 말이 어떤 말인지 확실히 안다. 내가 스스로를 행복하게 만들 수 있는 일이 많았는데, 나는 그 일에 전혀 에너지를 쏟지 않았다. 아니, 시도조차 하지 않았던 것이다.

아침마다 전쟁터 같은 화장실 앞에서 서성이다, 막내까지 등교를 시킨 뒤에 부랴부랴 나갈 준비를 했다. 그날은 다른 날보다 아이들의 등교시간이 조금 늦어져, 화장실 사용 마지막 차례인 나까지 오는데 시간이 더 걸렸다. 수업 시간에 맞춰 도착하기 어려울지도 몰랐다.

지금까지 단 하루도 거르지 않고 이불을 털어냈는데, 그날은 이불을 털어야 한다는 것도 잊고 뛰쳐나갔다. 빨래 통에 단 한 짝의 양말이 있어도 외출을 하지 못했던 나는 내 결벽증에 엄청난 도발 행위라고 생각하지 않을 수밖에 없었다. 그래도 수업에 늦을 수는 없었다. 나는 초조하게 버스를 기다렸다. 지각을 하면 선생님한테 꾸중을 들었던 학창시절로 돌아가 꿀밤을 맞을 것만 같았다.

다행히 수업에는 늦지 않았다. 선생님의 활기찬 중국어 인사로 수업이 시작되었다. 갑자기 내 머릿속은 온통 널브러진 이불 생각으로 가득 찼다. 화장실 바닥에 떨어져 있는 머리카락들과 세탁기에 넣지도 못한 빨랫감들이 뒤이어 생각났다.

'안 돼! 수업에 집중하자. 잊어버리자. 내려놓자, 내려놓자.'

나는 스스로 최면을 걸고 있었다. 집에 두고 온 것들이 뒤죽박죽되어 내 머리를 흔들고 있는 것 같았다. 결벽증이라는 걸 집 안에 두고 나왔어야 했는데, 그걸 기어이 수업에도 끌고 온 느낌이었다. 수업 내용이 머리에 들어올 리 없었다. 수업 마지막 시간을 앞두고서는 혈압이 올라가는 느낌에 지금이라도 당장 집에 가야하나 싶었다.

하지만 집으로 되돌아간다면 아마 평생을 다시 집 안에 갇힌 채, 살아갈 것만 같았다. 다시 결벽증에 내 자신을 가두고만 있을 시간들을 생각하며, 들썩거리는 엉덩이를 다시 의자에 붙였다. 드디어 수업이 끝났다. 다른 수업 때와 다르게 그날은 어떻게 시간이 흘렀는지, 강의 내용이 무엇이었는지 기억도 나지 않았다. 갯벌에 빠진 발을 빼내려 한 발 한 발 어렵게 떼고 겨우 빠져나온 기분이었다.

나는 버스를 기다릴 시간도 아까워, 곧장 택시를 잡아탔다. 택시 안에서도 어쩔 줄 몰라 하며, 안절부절 했다. 서둘러 현관문을 여는 순간 나는 놀랄 수밖에 없었다. 아침에 그냥 두고 온 우리 집이 아니었다. 모든 것들이 깨끗하게 제자리를 찾아 정돈되어 있었다. 우리 집에 우렁 각시가 살고 있는 게 분명했다.

내 놀란 얼굴 앞으로 남편이 맞이한다. 우리 집 우렁 각시는 남편이었던 것이다. 남편은 내가 엉망진창으로 남기고 간 집 안을 제 자리로 돌려놓았다. 남편의 고마움이 느껴지기도 전에 오늘 수업에 집중하지 못했던 내 자신이 떠올랐다. '이럴 줄 알았으면 다른 날처럼 집중할 걸.' 하는 아쉬움이 앞섰다. 급하게 잡아탄 택시 요금이 아까운 마음마저 들었다.

수업 내내 집안 걱정만 했는데, 막상 집안이 정리되어 있자 다른 곳에서 아쉬워하는 내 마음을 발견하게 됐다. 그냥 마음 편하게 수업을 듣고, 이런 날은 남편에게 고맙다는 말 한마디만 하면 끝나는 일인데 말이다.

오늘 수업은 엉망이 되어버렸다. 하지만 결벽증을 고칠 수 있을 거라는 생각이 더 확실해졌다. 계속 집안을 떠올렸지만 수업 시간을 끝까지 지켜냈다는 점. 그리고 한 가지 더 나에겐 든든한 지원자가 있다는 점이다. 내 편, 우리 남편 말이다.

아직 내 스스로 느끼는 압박감이 크다. 하지만 천천히 나아지고 있다는 건 분명하다. 가족들도 분명 나의 변화를 느끼고, 응원하고 있다는 걸 매 순간 느끼고 있다. 나는 더욱 노력할 것이다. 아이들에게 당당한 내 일을 하는 엄마로 기억되기 위해, 남편에게 고마운 순간들에 대한 보답을 하기 위해 말이다.

21년 만에 산에 오르다

숨이 턱까지 차올랐다. 잠시 고개를 들어 숨을 고르고, 하늘을 바라본다. 얼마나 더 올라야 텅 빈 하늘이 보일까. 아직 어림없는 일인 건 분명했다. 자꾸만 멀어지는 것 같은 하늘이 야속하기만 했다. 내 폐는 더 이상 새로운 숨을 저장할 공간조차 없는 것 같았다. 거친 숨을 몰아쉬는 주인을 위해 펌프질을 계속했지만, 이미 턱까지 차오른 숨을 어쩌지 못하고 있었다.

나는 가던 걸음을 멈출 수밖에 없었다. 발등을 내려다보며 한참을 걷다가도, 잠깐씩 폐를 쉬게 해 주어야 했다. 나는 주변을 둘러봤다. 산에서 만난 이름 모를 꽃들은 지천으로 피어있어, 오가는 사람들의 길목을 지키고 있었다. 나를 미소로 반기는 꽃들의 모습에 힘든 몸을 잠시 기대었다. 계곡을 타고 흐르는 물소리와 새들의 합창은 어느 교향악단 못지않은 자연의 소리를 뽐내며 감동의 물결을 이루었다. 결혼 전, 나는 이 산을 자주 오르내리곤 했다. 지금은 과거의 그 어떤 흔적도 남아 있지 않았다. 긴 시간의 여백 탓인지 유난히 낯설게만 느껴졌다. 잠시 멈췄던 발걸음을 다시 움직였다. 그리고 긴 시간의 여백을 내 숨소리로 가득 채워 나갔다.

더 이상 한 발짝도 움직일 수 없을 것 같은 마음에 발걸음을 멈추고 다시 고개를 들어 하늘을 바라봤다. 우거진 숲 사이로 듬성듬성 보이던 조각하늘도 어느새 완성된 퍼즐 모양을 하고 있었다. 하늘은 텅 빈 제 몸을 파랗게 드러내고 나를 보듬고 있었다. 가도 가도 끝이 보이지 않을 것만 같았던 길은 어느덧 하늘과 맞닿았다.

드디어 나는 발걸음을 멈출 수 있었다. 내가 힘들게 산을 오른 이유는 정상이 기다리고 있었기 때문이다. 하늘은 이미 가을을 닮아있었다. 하늘과 가장 가까운 곳에서 나는 두 발을 딛고 서있었다. 넓을 하늘의 바라보며 숨을 크게 내쉬었다. 맑은 하늘이 전부 나의 것이 된 것만 같았다. 턱까지 차오른 거친 숨과 현기증에도 묵묵히 산을 오른 이유는 이 때문이었다. 산행을 함께 한 독서클럽 회원들과 푸른 공간을 배경으로 간식을 나누어 먹었다. 이런 달콤한 휴식이 얼마만인지 몰랐다.

내려가는 길은 오르던 길보다는 훨씬 수월했다. 함께 산을 오를 때처럼, 내려갈 때도 서로를 배려했다. 발밑의 안전을 살펴주고, 혹시라도 미끄러지지는 않을까 앞에서, 뒤에서 서로를 잡아 주었다.

독서클럽 회장님의 제안으로 각자의 개인기를 뽐내며 지루하지 않은 하산 길을 재촉했다. 늘 느끼는 거지만, 독서클럽 회원들의 재주는 다양하다. 판소리, 시낭송에 이어서 트로트까지. 힘들었던 산행을 달래기에 차고 넘치는 이벤트임에는 틀림없었다.

오늘의 산행은 21년 만이었다. 나에게는 역사적인 순간이라 해도 과하지 않은 표현이다. 결혼 전에는 등산 마니아였지만, 결혼 후 앓았던 폐결핵으로 인해 산을 오를 수 없다고 단정하고 시도조차 한 적이 없었다. 건강한 사람에 비해 턱없이 모자라는 폐활량이라고 생각했던 것이다.

물론 이밖에도 내가 산을 오르지 못한 이유는 여러 가지가 있었다. 하지만 나는 오늘 내가 그동안 얼마나 어리석은 생각으로 산을 찾지 않았는지를 깨달았다. 미리 겁부터 내고 피하고만 있었던 것이다.

독서클럽 회장님은 오늘 등산을 할 곳이 그리 힘들지 않은 곳이니 꼭 참석하라고 당부를 했었다. 나는 등산이라는 말에 엄두도 못 냈다. 참석할 마음을 접었지만, 나의 호기심은 등산이라는 말을 듣자마자 생겼던 게 분명했다.

'한번 도전을 해볼까?' 하는 욕심이 생겼다. 이 욕심이 나를 약속 장소로 이끌었다. 독서클럽 일행과 만나 단체 사진을 찍고 21년 동안의 걱정이 쓸데없는 기우였다는 것을 나 자신에게 보여주기 위해 힘차게 첫 발을 내딛었다. 그동안 내 발목을 묶고 있던 보이지 않는 끈이 느슨해지는 느낌이 들었다. 그리고 회원들과 함께라면 도중에 등산을 포기 하지 않을 거라는 생각도 들었다.

이렇게 나는 두렵기만 했던 첫 등산을 독서클럽의 멤버들과 같이 마무리 할 수 있었다. 두고두고 잊지 못할 기억을 간직할 수 있었던 것이었다. 남편은 현관문을 나서는 나를 염려스러운 눈빛으로 바라보면서도 심통이 가득 찬 얼굴이었다. 그동안 수없이 낮은 산이라도 같이 가자고 권유했지만, 그때는 콧방귀도 안 뀌었던 나였다. 하지만 독서클럽 산행을 선뜻 따라나서는 게 얄미웠는지 뒤통수에 대고 한마디를 던진다.

"한미숙 씨 진짜로 바람난 거 아냐?"

평소에 쓰지도 않던 말투로 서운한 감정을 뱉는다. 나보다 여섯 살이나 많은 남편이지만, 그동안 살면서 나에게 반말을 해

본 적이 없는 남편이었다. 오늘은 진짜로 서운한 모양이었다. 나는 아무렇지도 않은 듯 "무사히 살아 돌아올게." 라고 가벼운 농담으로 받아치며 집을 나섰던 것이었다. 남편은 나의 첫 산행 상대가 본인이었으면 하는 마음으로 기대했지만, 기대가 어긋나자 심통을 부릴 모양이었나 보다.

산행은 생각보다 쉽게 마무리 되었다. 서서히 어둠이 내려앉으려 했다. 우리는 함께 식사를 하기로 했다. 나는 집에 있는 아이들 저녁이 걱정이 앞섰다. 하지만 이내 걱정을 지워버렸다. '이왕 바람피우는 것 확실히 피우자!' 라는 생각이 들었던 것이다. 나는 그대로 식사 자리에 눌러 앉았다. 한 끼 늦게 먹거나 굶어도 안 죽는다며 스스로를 위로하며 숟가락을 들었다.

전화벨이 울렸다. 아이들의 전화였다. 내가 만약 이 전화를 받는다면 나는 분명 한술 뜨던 숟가락을 내려놓고 아이들한테 갈 게 뻔했다. 전화를 받지 않았다. 아이들의 저녁을 내팽개치고 내 입으로 숟가락을 밀어 넣는 건 처음이다. 기분이 묘했다.

한편으로는 "그래 너희들도 엄마 없는 불편함을 한번쯤 은, 아니 앞으로도 서너 번쯤은 느껴야 엄마의 소중함을 알지." 라고 생각했다. 생전 처음 느껴보는 기분이 썩 나쁘지만은 않았다. 그렇게 또 한 번의 도발적인 행동을 하며 저녁을 먹고 담소를 나눈 다음에야 집으로 돌아갔다.

현관문을 열자마자 왜 이제 오냐며 아이들이 아우성이다. "다 큰 녀석들이 있는 밥도 못 차려 먹어?"라며 되레 큰소리를 쳤다. 하지만 그동안 나는 엄마 없이 밥을 차려먹는 걸 가르친 적도, 알려 주려 하지도 않았다는 걸 깨달았다. 곧장 주방으로 가 싱크대를 살펴보았다. 깨끗했다. 아이들이 굶었다고 생각하니, 미안한 마음이 밀려왔다. "정말, 너희들 굶었니?" 넷째에게 물었다. 다행스럽게도 오후에 출근하는 남편이 배달음식이라도 시키라며 음식 값을 주고 갔다고 했다. 내가 염려했던 아이들이 밥 굶는 일은 생기지 않았다.

나는 결혼 후 첫 산행으로 발톱에 피멍이 들었다. 그걸 들여다보면서 아프다는 생각보다는 성공했다는 뿌듯함이 더 앞섰다. 아이들이 쏟아내는 아우성에도 한 건 한 것 같은 기분이 들었고, 남편의 바람났다는 비아냥거리는 소리에도 기분 나쁘지 않았다.

산행의 피곤함 속에서도 오늘은 잠이 올 것 같지가 않았다. 독서클럽 멤버들과 함께한 21년 만의 첫 산행의 설렘 때문이었다. 나는 오늘의 추억을 내 책의 한 페이지로 길게 간직하고 싶다.

하루라도 반듯하게 누워 자고 싶다

오늘도 나는 옆으로 누워 새우잠을 잤다. 오랜 시간 유지된 잠버릇이다. 새우잠을 자더라도 왼쪽, 오른쪽 자세를 바꿔가며 자면 좋으련만, 밤만 되면 왼쪽으로 누운 새우자세가 아니면 도저히 잠을 청할 수가 없다. 매일 밤 반듯하게 누워 잠을 청해 보려 노력을 하기도 했다. 하지만 똑바로 누우면, 금세 숨이 막히는 느낌이 들어 다시 왼쪽으로 돌아누울 수밖에 없다. 이렇다 보니 자고 일어나면 밤새 눌린 왼쪽 어깨의 뻐근함으로 아침을 맞이할 수밖에 없다. 나는 이제 왼쪽어깨에 미안한 마음마저 들었다. 그렇다고 앉거나, 선 채로 잠을 잘 수는 없는 노릇이었다.

이렇게 내가 왼편으로 새우잠을 자기 시작한 건, 셋째 아이를 출산하고 나서 부터인 것 같다. 아니, 어쩌면 큰아이를 임신해 배가 불러 오면서부터 시작되었는지도 모르겠다. 세 딸을 3년 연속으로 임신해 배부른 상태가 계속 이어지다보니, 항상 반듯하게 잠을 잘 수가 없었다. 아마 임신한 경험이 있으셨던 분들은 잘 알 것이다. 부른 배로 반듯하게 자는 것이 얼마나 힘든 일인지 말이다.

3년을 한 쪽으로만 계속 새우잠을 자다보니, 내 몸은 나도 모르는 사이에 이 자세에 익숙해졌다. 이 이유가 아니라면 딱히 다른 이유가 생각나지는 않는다. 폐결핵을 앓았던 적이 있지만, 남들보다 폐활량이 조금 부족할 뿐 자는 자세와는 상관없는 일이었다.

넷째를 임신했을 때 일이다. 아이는 뱃속에서 거꾸로 자리를 잡아 산달이 되어도 제자리로 돌아오지 않았다. 어쩔 수 없이 제왕절개를 수술을 선택해야만 했다. 의사는 수술 당시 빈혈과 감기, 폐결핵을 앓았던 적도 있던 나를 전신마취 하기란 여간 조심스럽지가 않다면서 걱정을 했다. 나 역시 수술대 위에 눕는 순간까지 많은 걱정이 앞섰다. 내 걱정은 의사와 달랐다. 그건 눕는 자세 때문이었다. 나에게 똑바로 눕는다는 건 여간 힘든 일이 아닐 수 없었다. 이미 새우 자세가 굳어져버린 상황이었다.

그렇다고 왼편으로 누워 수술을 받을 수는 없는 노릇이었다.

온통 무채색으로 가득한 수술대 위에 누워, 주변에 깔린 수술 도구들과 마스크를 쓴 의사와 간호사를 보자 긴장감이 극에 다다랐다. 처음에는 가쁜 숨을 몰아쉬며 반듯하게 누운 내 자세를 신경 쓰지 않기 위해 노력했다. 아니나 다를까 1분도 채 안 돼 숨이 가빠지기 시작했다. 수술을 한다는 긴장감과 처음 보는 수술실 풍경에 더 그랬는지도 모른다. 손목에 있는 링거주사바늘 때문에 왼편으로 돌아눕지도 못했다.

갑자기 수술실 문밖에서 손을 흔들던 남편과 세 딸들의 얼굴이 떠올랐다. 이대로 수술에 시작되면, 큰 일이 일어날 것만 같은 불안감에 어떻게 해야 할지 몰랐다. 의사가 수술 준비를 하는 동안 나는 조금이라도 편하게 숨을 쉬기 위해 고개를 옆으로 돌렸다. 그리고 계속해서 숨을 크게 몰아쉬었다.

수술 준비를 마치고 마취 주사를 넣으려는 의사에게 말했다.

“선생님! 저 숨을 쉬기가 너무 불편한데, 이 상태에서 수술을 해도 될까요?”

의사는 숨을 쉴 수가 없어 평소에도 반듯하게 누워 자지 못하는 나의 사정을 알 리 없었다.

“모든 산모들이 다 그래요. 마취를 하고 산소를 공급하고 나면 오히려 더 편안해지실 거예요”

의사는 내가 다음 말을 잇기도 전에 마취 주사를 넣는다. 나는 잠에 빠지기 전, 10초도 안 되는 그 짧은 시간에도 '내가 다시 깨어날 수 있을까?' 하는 걱정뿐이었다. 얼마의 시간이 흘렀는지도 알 수 없었다. 나를 흔들어 깨우는 친정어머니의 목소리가 들렸다. 친정어머니의 목소리가 이렇게 반가운 적은 없었던 것 같다. 내 걱정과 반대로 나는 아무 일없이 깨어났고 건강한 아이도 출산했다. 무사히 깨어난 것에 대해 안도감과 감사한 마음이 교차했다.

한 번의 수술로 전신마취에 대한 두려움이 사라진 것은 아니었다. 새우처럼 몸을 웅크리고 자는 것 또한 여전했다. 다시 또 다시 수술대에 오르지 않기를 바랄 뿐이었다.

하지만 하늘도 무심하게 나는 다시 수술대 위에 올라야 했다. 충수염 때문이었다. 처음 수술 후, 일 년을 조금 넘은 시기라 그런지 몰라도 첫 수술 때보다 더 겁이 났다. 처음 느꼈던 수술대 위의 긴장감이 그대로 온몸에 퍼지는 것 같았다. 그때처럼 잘 될 거라는 말을 속으로 계속 되뇌었다.

나는 의사에게 반듯하게 누워서 잠을 자지 못하는 사정 이야기를 했다. 그리고 반듯하게 누울 때 오는 호흡곤란에 대해서도 세세하게 설명했다. 내 설명에도 불구하고 의사는 전과 마찬가지의 대답을 한다. 오히려 마취 후 산소 공급이 되니 크게 신경 쓰지 말라고 말이다. 스스로 위안하며, 속으로 많은 다짐을 했다.

'긴장하지 말자, 잠깐이다.'

'잠깐 잠들었다 일어나면, 금방 끝나는 일이다.'

하지만 수술대 위에 눕자마자 호흡이 가빠지기 시작했다. 이번에는 세 딸과 남편에 더해 돌쟁이 아들 얼굴까지 떠올랐다. 물론 이런 걱정을 비웃기라도 하듯 간단한 수술이었다. 무사히 깨어났고, 남편과 세 딸아이, 돌쟁이 아들까지 다시 안아볼 수 있었다.

누가 들으면 큰 병도 아닌 수술에 겁부터 낸다고 비웃을 지도 모른다. 나도 모든 수술을 끝내자, 그때의 걱정들이 괜한 기우였음을 알게 됐다. 당시를 떠올려보면 병의 크기가 아닌 새우잠이 만든 두려움 때문이었다. 가끔 왼편이 불편한 날마다 연달아 임신한 기간들이 원망스러울 때도 있다. 뭐가 그리 급하다고 쉬지 않고 아이만 가졌을까, 하는 생각에 빠지기도 한다.

반대로 생각하면 아이들 때문에 수술도 견딜 수 있었다고 생각하자 마음이 편안해진다. 지금은 아픈 왼팔마저 아이들이 나에게 남겨준 소중한 흔적이라고 생각하고 있다. 아이와 내가 함께 같은 몸 안에서 숨 쉬고 살아온 시간들의 쌓인 귀중한 흔적으로 말이다.

나는 남은 평생의 시간을 새우잠을 잘 수밖에 없을지도 모른다. 하지만 새우잠과 함께 온 아이들의 행복을 바라볼 시간만 남았다고 생각하자 가슴 한 구석이 먹먹해진다. 불편함이 새 생명들이 준거라고 다르게 생각만 해도 불편이라는 단어는 금세 행복이라는 단어로 바뀐다. 나는 늘 그 말들을 기억하지만, 그저 앞으로는 전신마취 할 정도의 병만 안 생기기만을 바랄 뿐이다. 더 행복해질 우리 가족의 시간들을 위해 말이다.

출판기념회

-유연숙 작가와의 만남

첫 번째 서울 나들이는 설렘 가득한 열여섯의 나와 함께 동행을 했다면, 두 번째 서울 나들이는 아직 설익은 가을을 친구삼아 동행했다. 나는 이전과 다른 느낌으로 다가오는 차장 밖 풍경을 바라보자 여유라는 단어가 마음 안에 가득 채워진 느낌이었다. 첫 나들와 다르게 긴장감이 풀어진 탓이었다. 창밖으로 보이는 포도 농장 농부의 손끝에서도 이제는 가을을 앞둔 여유를 마주할 수 있었다.

단 하루도 늘 같은 색으로 살아오지 않았으면 좋겠다고 생각했다. 늘 다른 색으로 하늘을 물들여 놓는 시골의 하늘처럼 나의 오늘과 내일의 색이 다르기를 바라왔다. 서울의 하늘은 여전히 회색빛으로 물든 채 나를 맞이했다. 마치 모든 것을 사랑할 수 있을 것 같은 마음이 되어 서울에 도착하자, 서울 하늘이 하얀 도화지에 그려진 수채화처럼 맑아 보였다.

내가 두 번째로 서울을 방문하게 된 이유는 다른 작가의 출판 기념회를 참석하기 위해서였다. 곧 나에게도 닥칠 일이었기 때문에 먼 걸음을 한 번에 달려오는 게 당연했다. 출판기념회라는 건 처음이었다. 기대와 호기심이 마구 뒤섞였다.

강연장은 금세 많은 사람들로 가득 찼다. 출판기념회의 시작은 플룻 연주였다. 사람들은 잔잔한 선율에 맞춰 작가를 기대하고 있었다. 목사님의 축하 인사와 오늘의 작가가 등장했다. 작가는 현재 웃음치료사로 강의를 하는 내 또래의 여자분이었다.

어렸을 때부터 남들 앞에서 무언갈 말하고 가르치는 걸 꿈꾸어 왔다고 하셨다. 그러다 갑자기 작가에게 찾아온 '구완괘사'는 삶에 있어 큰 좌절을 하게 해 준 계기가 되었다. 안면 신경마비의 시간은 길어졌다. 한쪽 얼굴이 일그러진 것처럼 되어 사람을 만나는 것에도 자신감을 잃었다. 그런 작가에게 찾아온 것은 책 한 권이었다. 깊은 어둠의 터널을 뚫게 만들어 준 것이 어떤 대단한 의사도 용한 점쟁이도 아닌 마음만 먹으면 하루 만에 받아 볼 수 있는 책이라는 게 놀라웠다. 작가는 책을 통해 다시 시작할 수 있다고 생각했다고 말했다.

작가는 웃음이 가장 큰 약이라는 걸 깨달았고 웃음치료강사 자격증을 따기 위해 새롭게 공부를 시작했다. 그렇게 시작한 일들이 쌓여 한 권의 책이 만들어지고, 우리 앞에 서 있는 것이었다.

사람들은 불가능이라고 말했을지도 모른다. 그리고 작가는 그 불가능이라는 말에 기대어 스스로 작아지는 삶을 선택했을 수도 있다. 하지만 불가능이라는 것을 떨쳐내고 낮은 가능성에 노력했다.

작가의 강의는 사람들의 큰 박수와 함께 끝이 났다. 작가가 다른 사람의 책을 보고 다른 희망을 꿈꾸었던 것처럼, 나도 작가의 강의와 책을 읽고 희망이 터질 듯 부풀어 오르는 걸 느꼈다. 한 편으로는 앞으로 다가올 내 출판기념 강연이 부담스럽게 다가왔다.

나는 강연 후 작가와 함께하는 뒤풀이에 참석 할 수 있었다. 작가는 나와 같은 나이였다. 첫 만남이었지만, 책을 통해 이미 작가를 예전부터 알고 있는 사람처럼 느낄 수 있었다. 아직도 나는 〈나는 내가 고맙다〉의 유연숙 작가와 연락을 주고받는다. 서울과 전주라는 긴 거리가 장벽처럼 서있지만, 우리는 마치 코

흘리개 어린 시절부터 알았던 친구처럼, 바로 옆집에 살고 있는 이웃처럼 편안하다.

그날 저녁 뒤풀이의 시간이 어떻게 흘러갔는지도 모른다. 뒤풀이에 모인 사람들은 하나 같이 유쾌한 사람들이었다. 다들 어느 정도 취기가 올랐는지 목소리가 점점 높아졌다. 나는 한 잔도 못 마시는 술을 앞에 두고 몇 번을 망설였다. 예전에 술을 한 잔 마시고 정신을 잃었던 기억이 되살아났다.

'에이, 한미숙. 바람피우려면 제대로 펴야지.'

술잔을 들고 입으로 갖다 대기까지 별 생각을 다했다. 남들에게는 별 거 아닌 일이 아직도 나에게는 참 힘든 일이다. 그래도 한 번쯤은 남들이 하는 걸 같이 해보고 싶었다. 이 사람들 틈에 자연스럽게 껴들어 가고 싶었다. 한 모금, 두 모금……. 어느새 잔 안에 들어차 있던 술이 비어졌다. 조금 어지러운 느낌이 들었다. 하지만 사람들과 웃고 떠드는 사이 정신이 말짱해졌다.

'이제, 가야지… 가야지…….' 하면서도 의자에서 엉덩이가 떨어질 줄 몰랐다. 작가의 이야기를 더 듣고 싶어졌다. 가방 끈만 매만지며 미적거리는 사이 막차 시간이 다 되어서야 아쉬운 마음을 접을 수 있었다. 그걸 어떻게 알았는지 다시 남편의 문자가 쏟아지기 시작했다. 남편의 연락은 뒤풀이 시작 시간부터 끊임없이 빗발치고 있었다.

"걱정 마. 걱정 말라니까."

이 말을 몇 번 반복했는지 모른다. 버스를 놓칠까 조마조마 했지만, 다행이도 버스를 놓치지 않았다. 차장 밖의 풍경은 모든 걸 감추고 어둠에 휩싸였다. 나는 먼 곳의 가로등 불빛 몇 개를 바라보면서 강연회에서의 작가의 모습을 다시 떠올렸다.

'나도 할 수 있을까?'

이런 질문들이 계속해서 까만 어둠 속에 별처럼 빛났다. 나는 별처럼 박힌 질문들에 어떤 대답도 할 수 없다고 생각했다. 나는 이미 답을 알고 있기 때문이었다.

"그럼. 할 수 있지."

나도 모르게 입에서 튀어 나왔다. 버스 안에 사람이 별로 없어서 다행이라고 생각했다. 아까 마신 술 때문인지, 이런 질문들 때문인지 자꾸 입가에 미소가 번졌다.

새벽 두 시 삼십 분. 나는 버스에서 내렸다. 멀리서 남편이 손을 흔들었다.

"이렇게 늦게 다닐 거야?"

아무 말도 하지 않는 나를 향해 남편이 큥큥거린다.

"설마, 술 마셨어?"

나는 그대로 입을 꾹 막았다.

"그래도 안전하게 왔으니까 봐줄게. 이건 외박이야. 다음엔 이런 거 없어. 알지?"

남편의 말에 다시 미소가 번졌다.

"그래, 당연하지."

그동안 나를 잊고 살아왔던 과거를 버스에 두고 내렸다. 버스는 서울로, 다시 전주로 오고가며 내 과거들이 어딘가에 흘리고 다닐 것이다. 대신 나는 버스 안에서 그 날의 소중한 기억을 계속 떠올리며, 평생 간직하겠다고 내 자신과 약속했다.

출판기념회의 기억은 단순한 기억이 아니다. 내가 처음으로 나를 발견하고 질문을 한, 나와 처음으로 약속한 소중한 추억이다. 그 날 함께해 준 동갑내기 친구들에게 이 기억을 보내고 싶다.

가족이 나한테 서운하단다

나는 좋은 아내로, 엄마로서 21년의 시간을 쏟았다고 믿고 있다. 하지만 더 나은 아내와 엄마로 살아가기 위해 가족들에게 나에 대한 이야기가 필요하다고 생각하고 가족들이 생각하는 '나'를 듣고 내 생각을 정리해봤다.

(1) 남편

한 방울의 물자국도 없는 화장실 거울을 볼 때마다 숨이 막힌다.

- 거울에 단 한 방울의 물도 허용하지 않는 나 때문에 평소

에 조심하고 또 조심한다. 어쩌다 한두 방울의 물이라도 튀면 내가 볼 새라 재빨리 닦는다는 남편이다. 그래도 이왕이면 깨끗한 욕실 유리를 욕심내고 싶을 뿐이다. 이건 충분히 조심해 줄 수 있는 일이다.

무조건 아이들 먼저 챙기고, 오로지 아이들밖에 모르는 것 같다.

- 아이들이 어렸을 때부터 항상 꾸준히 해 오던 생각이란다. 아주 가끔씩 남편은 “당신은 아이들밖에 모르는 것 같아. 나는 안중에도 없지?” 라며 투덜거린다. 이제는 아이들도 어느 정도 자랐으니 자신을 더 생각해줬으면 좋겠다고 말한다.

물론 나는 남편을 하나에서 열까지 챙기는 것에 소홀함이 없다. 하지만 남편은 조금 더 자신에게 애정을 가져 주길 바라는 것 같다. 애교라고는 눈을 씻고 찾아봐도 없는 내가 좀 더 다정하게 대해 주길 원하는 것이다. 노력 할 수는 있지만, 정확하게 그렇게 하겠다고는 말 못하겠다.

선천적으로 느린 성격을 바꾸라고 강요를 할 때 속이 탄다.

- 정말이지 남편의 느린 성격은 시부모님도 답답하다고 자주 말씀을 하셨다. 예를 들어, 병원 응급실에서조차도 천천히 주의

다. 의사가 올 때까지 아파죽겠다는 사람을 두고 한 시간을 꼼짝도 안한 적이 있었다. 남편은 접수 했으니 기다리면 된다는 것이다. 시아버지께서 직접 나서서 해결한 일도 있었다. 시아버지는 병으로 갑자기 응급실에 갈 때가 많았다. 그 때마다, "너 가고, 민경 애미 오라고 혀."라며 나를 찾았다고 한다.

셋째가 태어날 때의 일이다. 갑자기 산통을 느낀 나는 급하게 시댁에 두 아이를 맡기고 병원으로 향했다. 남편의 느린 성격은 그날도 여전했다. 아직 추위가 들어차지 않은 11월의 새벽이었다. 거리는 한산했고, 우리가 탄 차를 막는 방해물 같은 건 없었다. 첫 번째 아이도 아닌, 셋 째였다. 세 번의 경험을 통해 남편을 나의 고통을 이미 두 번이나 지켜본 사람이었다.

그런 남편은 내 고통을 아는지 모르는지, 정확하게 주황색 불에서 차를 멈추고 정지선까지 지켰다. 나는 정신없이 밀려오는 아픔 속에서도 차의 느린 속도를 느낄 수 있었다.

"빨리, 빨리!"

라고 소리를 써도 속수무책이었다. 운전대를 잡고 있는 건 남편이었다. 결국 우리는 병원 앞 마지막 신호까지 완벽하게 지킨 뒤에 병원에 들어설 수 있었다. 나는 20분 만에 출산을 했다. 정말이지 조금만 더 늦었다면 차 안에서 아이를 낳을 뻔한 상황이었다. 나는 아직도 그 때의 일을 아이들에게 늘어놓으며, 동정

표를 사고는 한다.

이렇게 느린 성격으로 직장 생활은 어떻게 하나 내심 걱정할 때도 많다. 근무 특성상 1년에 한 번씩 조별로 이동을 하는데 함께 근무하고 싶어 하는 동료들이 많다고 하는 걸 보면 직장에서는 문제가 없나보다. 내 걱정과는 달리 잘 하고 있는 모양인 게 분명해 보인다. 그리고 싹싹하고 수더분한 성격 때문에 비록 나와 부모님한테는 핀잔을 들을지라도 주민들한테만큼은 인기 많은 민중의 지팡이다.

연년생 셋을 키우며 자연스럽게 각방을 쓰던 습관이 아직도 이어져서 불만이다.

- 연년생 아이들 셋과 늦둥이 넷째가 밤마다 울어댔다. 출근하는 남편을 위해 어쩔 수 없이 각방을 쓰기 시작했다. 이 일로 각방이 굳어진 습관이 되어 지금까지 이어지게 된 것이다. 지금이라도 습관을 바꾸면 좋으련만 또 한 가지 장애물이 생겼다. 그 장애물은 바로 코를 너무 심하게 곯아대는 남편 때문에 도저히 같은 방에서 잠을 잘 수가 없어 뜬 눈으로 밤을 새야 한다는 점이다. 코골이 때문에 수술도 해봤지만 3개월도 채 안되어 다시 제자리로 돌아왔다. 차라리 기차화통 소리가 더 조용할지도 모르겠다. 결국 아이울음소리로 시작된 각방은 남편의 심한 코

골이로 현재까지 이어지고 있다.

너무 깔끔한 성격 때문에 손님 오는 것을 안 좋아하는 아내 때문에 집으로 친구를 초대하지 못했다.

- 남편은 사람을 좋아하는 성격 탓인지 지인들은 집으로 초대하기도 하고 직접 찾아가기도 한다. 결벽증에 가까운 깔끔한 내 성격은 전혀 반대다. 게다가 북적거리는 분위기를 안 좋아하는 내 성격 탓에 친구들을 자주 초대하지 못했다며 볼멘소리로 불만을 털어 놓는다. 그리고 이렇게 깔끔을 떨면 다시 오지도 않는다며 한마디를 덧붙인다.

나는 남편의 이 불만만큼은 공감 할 수 없다. 그동안 네 명의 아이들을 키우며 시부모님 병원까지 다닌 일만으로도 얼마나 힘들었는데, 이런 소리를 하나 싶어 오히려 내가 더 서운했다. 그동안 누구를 초대할 시간적인 여유도 정신도 없이 숨 가쁘게 21년을 달려왔건만 과거에도 가끔 한번 씩 내뱉던 이 말이 오늘은 거꾸로 내가 더 서운하게만 들린다.

(2) 넷째 아들

집 옆 인라인스케이트장 이외에는 위험하다고 자전거를 못 타

게 하는 점.

- 아들은 항상 학교나 학원을 갈 때 자전거를 타고 다니고 싶어 하지만 위험하다고 절대 허락을 하지 않는 나에게 불만이 이만저만이 아니다. 친구들은 자전거를 타고, 가고 싶은 곳에 간다면서, 우리 엄마만 이상하다고 투덜대는 횟수가 요즘 들어 점점 늘어만 간다. 그래도 위험한 건 절대 안 된다.

1학년, 학교까지 바래다 주고 우는 나를 두고 엄마가 냉정하게 돌아섰을 당시.

- 태민이나 나나 힘들었던 1학년 1학기 동안에 있었던 일이다. 매일 함께 등교 후 하루도 안 빠지고 교실문 앞에서 나에게 울며 매달리는 자기의 손을 엄마가 냉정하게 뿌리쳤던 일이 아직도 가슴에 남아 있는 모양이다. 뿌리칠 수밖에 없었던 내 마음이 본인보다 몇 곱절이나 더 아팠다는 걸 깨닫는 데는 아마 시간이 더 필요한가 보다. 조금 더 크면 나를 이해할 수 있을까 싶다.

해마다 학원에서 단체로 물놀이 갈 때 무조건 위험하다고 안보내 준 일이 서운했다.

- 나에겐 아들을 가급적이면 엄마, 아빠의 동행 없이 혼자 보내지 않는 분명한 이유가 따로 있다.

아들이 여섯 살 유치원을 다닐 때의 일이다. 유치원에서 선생님들의 인솔 하에 1박 2일로 여름캠프를 떠났다. 물을 무서워하는 아들이 걱정이 되었지만, 가고 싶어 하는 아들을 보내지 않을 수 없었다. 꽤 넓은 물놀이장으로 아들은 캠프를 떠났다. 나는 그때 생긴 일을 선생님께 전해 듣고 놀라지 않을 수 없었다. 친구들에 비해 유난히 물을 무서워하는 태민이를 선생님 옆에 앉혀 두고, 함께 자리 이동을 하는 중에 아들을 챙기지 못했던 것이다. 한참 뒤에야 아이가 없어진 것을 안 선생님께서 아들을 찾느라 한바탕 난리가 났다고 했다. 직접 보지 않아도 아들을 찾아다니는 모습이 눈에 선했다. 한참을 지나서야 선생님은 미아보호소에서 아들을 찾을 수 있었다. 울고 있는 아들을 안전요원이 미아보호소에 데려다 놓은 것이었다. 미아보호소에 있었으니 망정이지 그야말로 끔찍한 결과까지 나올 수 있는 사건이었다.

한해에 실종되는 아이들이 2만 5천 명에 이른다고 한다. 이중에 3개월 이상을 집에 돌아오지 못하는 아이들이 6백 명에 가깝다는 소리를 들을 때마다 그때 놀란 마음을 감출 수 없다. 그 넓은 곳에서 만에 하나 찾지 못하였다면 하는 아찔한 생각에 지금도 아들을 혼자서는 그 어디에도 보내지 못하는 겁쟁이 엄마가 되고 말았던 것이다

내 마음대로 옷과 신발을 입지 못하게 하고 신지 못하게 할 때.

- 1, 2학년 때는 그런대로 엄마의 의견을 따라주던 아들이 3학년이 되고부터는 변했다. 아침마다 옷 고르는 일이 여간 힘든 일이 아닐 수 없다. 신발도 마찬가지이다. 더운 여름에도 샌들을 신지 않고 굳이 양말을 신고 운동화를 고집한다. 6월이 되어도 긴 바지만 고집하는 아들 때문에 큰 소리를 낸 적이 한두 번이 아니다. 나는 좀 더 어울리는 옷을 입히고 싶지만 날씨에 상관없이 무조건 긴 바지와 운동화, 그리고 축구화만 고집하는 아들과 종종 말다툼을 벌일 수밖에 없다.

혼자 샤워하고 싶은데 아직도 초등학교 3학년인 나를 애기 취급을 할 때.

- 3학년이 되더니 아들의 심경에 무슨 변화라도 생긴 것일까, 친구들은 유치원 때부터 혹은 1학년 때부터 혼자서 머리도 감고 샤워도 하는데 왜 나는 혼자서 못하게 하는지 우리 엄마는 아직도 애기 취급을 한다며 나도 이제 초등학교 3학년이란다. 그리고 4학년부터는 혼자 씻겠다는 약속을 기어코 받아내고 만다.

(3) 셋째 딸

내말이 다 끝나지도 않았는데 무조건 화부터 낼 때.

- 나는 아이들의 요구사항을 들어주지 못할 것 같으면 먼저 설득이나 대화를 한다. 하지만 어느 땐 무조건 들어달라고 떼를 쓰는 아이들에게 버럭 소리를 지른다. 이렇게 큰소리로 혼을 내면 아이들은 그제야 포기를 한다. 나는 언제부터인가 안 될 것 같은 요구사항은 처음부터 큰소리를 쳐 차단을 했던 것이었다. 처음부터 과감하게 버럭 소리를 지르지 않으면 네 명의 아이들이 돌아가면서 끄집어 내놓는 요구사항을 도저히 감당을 할 수가 없다.

이 문제에 대해서는 나도 아이들에게 부탁을 하나 해야겠다. 앞으로 처음부터 화를 내지 않을 테니 너희들도 엄마가 설득을 하면 더 이상 조르지 말고 거기에서 멈추어 주길 바란다.

특히, 우리 둘째와 넷째는 한 달이고 두 달이고 심지어 1년 가까이 조른 적도 있었다. 이런 일은 내 언성을 높이는 일만 만들 뿐이니 꼭 함께 약속하길 바란다.

나를 믿지 못하고 꼬치꼬치 캐물을 때.

- "엄마 나 오늘 친구들이랑 영화 보러 가"

셋째다. 이때부터 나의 질문은 끝이 없다.

"친구 누구? 몇 명? 어디 영화관이야? 몇 시 영화야?" 뒤이어서 "영화표 증거로 가지고 와!" 그리고 마지막으로 "일찍 와."로 끝을 맺는다. 이렇게 질문을 하면 셋째는 "엄마 돌아버릴 것 같아!" 하며 머리를 쥐어뜯는 시늉을 한다. 항상 이런 식으로 무엇을 하든 어디를 가든 한 번에 보내지 않는 나에게 불만을 가진 셋째다. 다른 친구들은 자유롭게 외출해도 엄마들이 별로 신경을 안 쓰는데, 우리 엄마는 왜 그러냐며 화를 낸다. "다른 엄마들은 안 그러는데 우리 엄마만 그래. 우리에게도 자유가 필요하다고요." 솔직히 이 말은 네 명의 아이들이 모두 공통적으로 자주 하는 말이다. 나는 그저 아이들이 어디에 있는지 어떤 친구들과 어울리는지 알고 싶을 뿐이다. 내 행동을 어느 엄마들도 분명 이해 할 것이다.

꼼짝도 못하게 쳐 놓은 엄마의 울타리에서 벗어나고 싶다.

- 물가에 내놓은 어린애처럼 행여 무슨 일이 생길까봐 미리 걱정부터 하는 엄마가 이해가 안 된다며, '구더기 무서워서 장 못 담그는 내'가 무척이나 안타깝다는 셋째다. "엄마 나 내일 친구들이랑 물놀이 가!" 나는 생각할 틈도 없이 곧바로 직구를 날린다.

"안 돼!"

"왜 안 돼?" "

"왜는 왜야? 물가가 얼마나 위험한데 어른도 없이 너희들끼리만 가?"

곧바로 대화가 단절 된다. 이것은 이래서 안 되고 저것은 저래서 안 되는 엄마의 황당하고 말도 안 되는 울타리에서 이제는 나가고 싶다는 셋째다. 이 내용도 비단 셋째만의 불평만은 아닐 것이다. 하지만 나는 울타리가 아닌 보호막이라고 생각할 뿐이다.

글 쓴다고 바쁘다는 이유로 저녁을 대충 주는 엄마가 서운했다.

- 학교에서 돌아오면 전과 다르게 엄마가 글을 쓰고 여러 가지 활동을 하며 바쁘다는 핑계로 소홀해진 저녁 식탁이 못내 아쉬운 모양이다. 배고프다고 미리 문자까지 했건만 본인이 올 때까지 노트북 앞에만 앉아 있는 엄마를 보자 서운했다고 한다. 나는 음식 솜씨가 원래 없다. 매 끼니마다 어찌어찌 근근이 이어오던 상차림이었건만, 이젠 그마저도 유지를 못하고 있으니 가족들의 원성을 사는 일은 당연한 일이다.

엄마가 오로지 아이들만 바라보다 바깥 활동을 하고 글을 쓰며 내심 느슨해진 집안 분위기가 좋으면서도 너무 갑작스런 변화에 아이들은 혼란이 생기기도 하나보다. 가끔 생뚱맞은 말을 꺼내기도 한다. “엄마! 셋째 딸이 와도 이제는 쳐다보지도 않는다 이거지?”라고 말하며 관심을 가져 주길 바라고 있다.

(4) 첫째 딸

동생들이 많다보니 나한테 신경을 못 써 줄 때.

- 주변에 예술을 전공하는 아이들을 보면 부모들, 특히 엄마가 옆에 붙어서 365일 따라다니고 하나부터 열까지 챙기느라 여념이 없다. 하지만 나는 신경과 관심이 네 군데 다섯 군데로 분산되다보니 다른 엄마들처럼 시종일관 옆에 붙어 다닐 수 없다. 하다못해 경연대회조차도 세세하게 챙겨 주지 못했다.

도저히 집을 비울 수 없는 상황과 늘 바쁜 엄마의 일상 때문에 큰딸은 혼자서 많은 짐을 졌던 것도 사실이다. 엄마가 옆에서 항상 챙겨주는 친구들이 부러웠다는 큰딸이 안쓰럽기도 하고 대견스럽기도 하다. 그래도 본인이 좋아하고 하고 싶은 일이어서 그런지 나 없이도 스스로를 챙긴다. 자립심만은 확실하게 기른 것 같다. 이런 일 때문인지 큰딸은 해금을 전공하는 동생에게 많은 정보를 주며 엄마인 나보다 잘 챙겨 준다.

서로에게 도움이 되는 모습을 볼 때마다, 아이들이 하루하루 스스로 성장한다는 기분을 맛보게 된다.

공연 때 엄마가 오지 않아서 서운했다.

- 큰 아이가 고등학교 3학년 때, 생에 첫 공연을 중국으로 갔다. 아직도 그 감동을 잊지 못하고 가끔 사진을 보며 얘기를 한다. 생에 첫 공연을 해외에서 하는 바람에 참석을 못했지만, 아이가 대학생이 되고 군산에서 했던 공연에도 나는 참석을 하지 못해 할 말이 없다.

독서클럽, 시낭송, 중국어 수업, 글쓰기. 나는 여러 가지 활동을 하며 큰딸에게 더 소홀해졌다. 가끔 진짜로 내가 무슨 바람이라도 났나 싶을 때가 있다. 그동안 가족들에게 쏟던 백퍼센트의 에너지를 나 자신과도 조금씩 나눠 갖는다는 변명을 하기도 한다. 시간적인 여유가 예전보다 없어진 게 사실이다. 큰딸을 비롯해 세 아이들에게는 미안한 일이지만 나는 나 자신에게 나눠 준 이 몇 퍼센트의 에너지를 다시 아이들에게 돌려주고 아니, 빼앗기고 싶지는 않다.

그래도 늘 생각은 하고 있다. 아이의 공연 때마다 매번 쫓아다닐 수는 없지만 그래도 가급적이면 참석을 하려고 노력은 해야겠다고 말이다.

엄마의 집요하고 집착이 강한 성격이 부담스럽다.

- 무슨 일이든 한 가지라도 꼬투리가 잡히면 끝까지 파고들어 끝장을 봐야만 직성이 풀리는 성격이다. 어떤 주제로 아이들과 남편과 말다툼이나 논쟁이 벌어지면 결국엔 똑같은 소리를 하면서 끝이 난다. 열 번이고 스무 번이고 양껏 하고서도 끝이 보일 때까지 집요하게 말한다는 것이다.

이것 또한 일종의 정신적 결벽증에서 비롯된 성격이 아닐까 싶다. 나의 집착 아이들과 남편의 눈총을 받고 있다. 나의 집착 대상은 대충 이렇다. 네 명의 아이들, 화장실의 거울, 신발, 빨래 그리고 무엇이든 원래 있던 자리에 있어야 한다는 것. 그것을 바로잡지 않고서는 다른 일이 손에 잡히지 않는다. 정돈되고 깔끔한 것이 당연히 더 좋은 게 아닌가 싶었다. 왜 내가 문제라는 건지 알 수가 없었다.

요즘에는 나 자신에게 에너지를 쏟고, 시간을 챙긴다. 그러자 30년을 넘게 이어오던 결벽증도 서서히 무너지고 있다는 것을 가족뿐만이 아니고 나 자신도 실감을 하고 있다. 솔직히 말하자면, 지금의 내가 더 좋고 편한 건 있다.

중학교 때 잠이 많다고 정신력이 약하다며 혼났을 때가 잊혀 지지 않는다.

- 시험 기간만 되면 책상에 앉은 지 삼십 분도 채 되지 않아 책에 머리를 처박고 자는 큰딸 때문에 밤마다 서로 스트레스를 받는 날들의 연속이었다. 나는 나대로 깨워 놓으면 어느새 또 자고 있는 딸을 지키느라 피곤했고, 큰딸은 큰딸대로 엄마가 깨우는 소리에 깜짝깜짝 놀라며 쪽잠을 자느라 피곤했다. 나는 이런 큰딸에게 정신력이 약하다며 핀잔을 주기 일쑤였다. 지금 생각해보니 졸음 방지 껌까지 씹게 해도 어차피 이기지 못할 졸음이었다면, 그냥 편하게 자게 하는 게 좋지 않았을까 아쉬운 마음이 든다. 큰 딸은 엄마가 예고도 없이 발칵발칵 문을 열어 깨우는 소리에 노이로제가 걸렸었다며 우스갯소리처럼 얘기한다.

그냥 편안하게 누워서 잤다며, 아이가 피곤하지만은 않았을 텐데 말이다. 왜 그땐 그렇게 잡아 두고 몰아세우는 게 능사라고 생각했을까 싶다. 내 생각이 전부였던 또 다른 집착을 반성해 본다.

엄마에게 바라는 점이 있다.

- 큰딸은 나를 보며 어렸을 때는 느끼지 못했던 걸 생각하게 된다고 한다. 늘 다람쥐 쳇바퀴 돌듯 반복되는 내 생활이 안타까웠다고 한다. 더군다나 힘들다, 죽겠다고 입버릇처럼 말하면서도 안 해도 될 일까지 완벽하게 하려는 나를 볼 때마다, 내

성격을 닮지 않아 얼마나 다행인지 모른다고 한다. 딸아이가 보기에 나는 일이 즐거워서 하는 것이 아니었다. 스스로 끊어내지 못하는 결벽증 때문에 어쩔 수 없이 하는 것처럼 보인 것이다. 매번 부족한 시간과 피곤함에 끌려 다니는 내 모습을 볼 때마다 내 인생이 평생 이럴까봐서 걱정을 했다고 한다. 하지만 이제 바깥활동도 하면서 이전과는 확연히 달라진 엄마의 하루를 보면 계속 응원을 보내고 싶다고도 한다.

어느 날은 글을 쓰며 노트북 앞에 앉아 있는 내 모습이 앞치마를 두른 엄마의 모습보다 훨씬 더 보기 좋고 잘 어울린다면서 엄지손가락을 치켜세운다. 큰 아이는 앞으로도 내가 좋아하는 일을 계속 했으면 하는 바람을 밝힌다.

아이들은 언제 이렇게 커버렸을까. 자신보다 엄마인 나를 생각하는 마음이 해가 변할수록 커지는 것 같다. 내가 고마운 것들은 나를 생각해 주는 마음이 아닌, 우리 가족을 더 생각하는 마음이 깊어진 것 같아 고마울 뿐이다.

5) 둘째 딸

나에 대해 기대치가 너무 높아 항상 부담스러웠다.

- 둘째는 초등학교 때와 중학교 때 항상 상위권 성적을 유지

했다. 나는 당연히 언제까지나 잘해 주리라는 높은 기대를 가지고 있었다. 고등학교에 가서 떨어지는 아이의 성적을 이해 할 수도 없었고, 심지어 화가 나기도 했다. 둘째는 이런 내 반응에 짜증을 부리며 애초에 처음부터 내가 공부를 못했다면 엄마의 기대치가 이렇게 높지는 않았을 거라며 울상이 된다. 시간을 되돌리고 싶다고까지 말한다.

둘째가 막 고등학교를 입학해 첫 중간고사 치르던 때였다. 둘째는 중학교 때보다 더 열심히 해야 하는데도 불구하고 통 공부를 하지 않았다. 내 눈에만 그렇게 보였던 것이 아니었다. 첫째인 민경이 눈에도 고등학생이 된 둘째는 확 달라져 있었다. 공부에 대한 관심을 아예 끊은 것처럼 굴었다.

둘째의 관심사는 통기타와 학교 밴드 동아리, 학급 부실장 활동과 교내 여러 공모전과 축제로 바뀌어 있었다. 공부가 제일이라는 나와는 반대로 다른 활동에 더 열심히였던 것이다.

중간고사 성적이 나왔다. 당연히 성적은 중학교 때까지 유지했던 상위권을 벗어났다. 내 기대치는 와르르 무너져 버렸다. 나는 성적이 왜 이 모양이냐며 따져 물었다. 둘째는 친구들 엄마들은 이 정도 성적이면 아주 기뻐한다는데 우리 엄마만 이상하다며 열변을 토하고는 그래도 분이 안 풀렸는지 눈물까지 찔끔거렸다.

그렇게 한바탕 소란을 피우고 나서야 둘째에 대한 내 기대치는 점점 낮아지게 됐다. 기대치가 낮아졌다기 보다는, 아이가 하고 싶은 활동을 이해해야 한다는 것을 깨닫게 된 것이다. 아이는 2학년이 되고부터는 스스로 성적까지 올리려는 모습을 보인다. 나는 조금씩 둘째를 이해하려는 쪽으로 생각을 바꾸고 있다. 아이가 자신의 위치에서 할 수 있는 활동과 공부에 대해서 꾸준히 노력만 해준다면 나는 괜찮다고 생각한다.

국악을 전공하는 언니와 동생 사이에서 샌드위치가 되는 느낌을 받았다.

- 욕심이 많은 둘째다. 항상 언니와 동생사이에 끼어 본인이 누려야 할 혜택을 빼앗긴다는 생각을 하고 있었다. 본인이 원하는 물건은 몇 달을 조르고 졸라야 얻을 수 있는 반면에 언니나 동생은 전공을 한다는 이유로 값비싼 악기를 금방 사다 준다는 것이다. 왜 자기한테만 인색하냐는 말과 함께 외동인 친구나 형제가 적은 친구들이 부럽다며 내심 엄마, 아빠를 원망하는 눈치다.

나는 둘째가 그렇게 말할 때마다, 다음 생에는 꼭 부잣집 무남독녀로 태어나라고 농담을 던진다. 그래도 둘째는 여전히 굳은 얼굴로 농담을 받아치지도 않는다.

둘째는 무슨 악기 값이 그렇게 비싸냐며 언니와 동생의 악기 값까지 들먹이며 불만을 터뜨린다. 둘째가 이런 불만을 토로하는 데는 분명한 이유가 있다. 평소에 돈을 잘 쓰지 않고, 천성이 검소하게 태어난 아이이다. 다른 아이들에 비해 옷이나 신발도 덜 사는 편이니, 비싼 악기 값에 엄마, 아빠와 함께 놀라는 아이이다. 이렇다보니 우리 부부의 주머니 사정을 제일 잘 이해해 주는 것도 바로 둘째다. 이런 부분은 참 고맙다는 생각을 자주 한다.

언젠가부터 생긴 결벽증이 엄마 탓인 것만 같아 엄마가 미웠다.

- 내가 봐도 나의 내적 혹은 외적 결벽증을 제일 많이 닮은 아이는 바로 둘째다. 나도 친정어머니의 결벽증을 싫어했었다. 하지만 유전자와 보고 배우는 걸 속일 수 없음에 탄식이 나올 뿐이다. 친정어머니와 똑같이 닮아 있는 내 모습을 발견할 때마다 놀란 적이 한두 번이 아니었다. 나는 절대 친정어머니의 결벽증을 닮지 않으리라 백번도 넘게 다짐해보기도 했다. 하지만 소용이 없었다. 아마 민지도 나와 똑같은 마음일 것이다.

그래서인지 민지와 내가 한 번 말다툼을 시작하면 서로 조금의 양보도 없는 게 당연한 일일지도 모른다. 서로 한 발짝도 물러서지를 않는다. 서로의 성격이 닮은 건 생각도 안하고, 상대의 성격을 이해 못하겠다며 한참동안 언성을 높인다. 끝날 것 같지 않은 이 다툼에 남편까지 나서서 중재를 해보지만 소용이 없다. 오히려 불난 집에 부채질을 하고만 꼴이 된다.

이렇게 성격이 비슷한 둘째와 나는 어느 정도 각자의 분이 풀려야만 말을 멈춘다. 둘째는 이런 자신의 성격이 결벽증 엄마의 유전자 탓 이라면서 눈을 흘기곤 한다.

생일날 엄마가 미역국을 끓여주지 않았을 때.

- 둘째가 중학교에 다닐 때의 일이다. 챙겨야 할 가족 행사가 어찌나 많은지 나는 그만 둘째의 생일을 깜박 잊고 말았다. 나는 잊었다는 것조차 생각하지 못했다. 딸아이는 이유를 말하지도 않은 채 연속 이틀을 뾰로통해 있었다. 그러다 청소를 하며 책상 위 달력이 눈에 들어왔다. 6월 16일에 커다란 동그라미를 그려놓고 대문짝만하게 민지 생일이라고 적은 글씨가 눈에 띄었다. 나는 아차 하는 마음에 밖으로 달려가 케이크와 선물을 사 왔고 늦었지만 미역국도 끓였다. 학교에서 돌아온 민지는 여전히 불만이 가득한 얼굴로 내가 묻는 말에도 퉁명스러울 뿐이었다. 사춘기의 한가운데 서 있던 시기라, 나는 긴장을 늦출 수 없었다. 미안한 마음에 저녁 식탁위에 케이크와 선물 그리고 미역국을 준비해 뒤늦은 깜짝 파티를 준비했다.

방에서 나온 민지를 향해 온 가족이 생일 축하 노래를 불렀다. 조금 전까지만 해도 굳어있던 민지의 얼굴에 함박꽃이 피었다. 딸아이의 얼굴은 화사한 꽃잎처럼 빛났다. 그날따라 더 예쁘게 보였다.

둘째는 가족 누구 하나 기억 못하는 생일, 자신의 모습이 처량하다고 생각했다고 한다. 그래도 잠시 서운했던 마음을 이 뒤늦은 깜짝 파티에 날려 버리는 듯 했다. 아이들 하나하나 생일을 챙겨 주고 싶지 않은 엄마는 없다. 다만 많은 일에 얽매어 내 아이들의 생일 하나 기억하지 못했던 내 자신이 미워질 때가 있다.

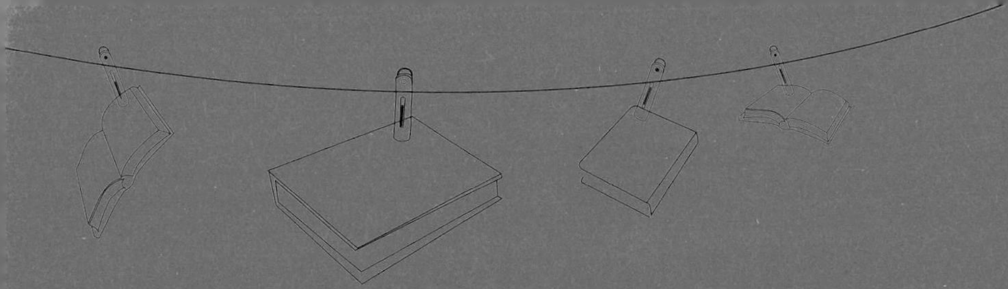

현관문을 박차고 나와 버렸다

주섬주섬 옷을 갈아입고

이 한마디를 던지고는

"그래! 바람났다. 왜?"

진짜 제대로 바람났다

토라진 남편이 사흘째 입을 열지 않는다. 굳이 이유를 듣지 않아도 나는 남편이 왜 입을 닫아버렸는지 알 수 있다. 원고 마감일을 핑계로 명절을 챙기지 못한 나 때문이었다. 생각해 보면 원고마감은 사실이지 핑계가 아니다. 예상하지 못한 남편의 반응에 나도 토라져 있기는 마찬가지였다.

명절을 챙기지 못 한건 이번이 처음이었다. 원고 마감일이 얼마 남지 않았기 때문이었지 다른 이유가 있던 건 아니었다. 나는 시댁 어머니와 동서에게 미리 양해를 구했다. 하지만 문제는 예상도 못했던 남편에게서 일어났다. 나를 제일 이해해 줄 것 같았던 남편이 땡감 열 개는 씹은 표정으로 입을 열지 않는 것이다. 남편이 원망하는 게 원고 마감일인지, 명절을 챙기지 못한 나인지도 도통 알 수가 없었다. 그저 평소와 다른 표정으로 사흘을 넘기고 있을 뿐이었다.

큰며느리라는 자리가 또 한 번 부담으로 다가오는 순간이었다. 한여름에 두세 겹의 옷을 껴입은 것도 모자라 두터운 외투까지 걸친 느낌이었다. 온몸이 무겁게 처지는 기분이었다. 나는 그동안 명절과 가족 어르신들의 생신까지 한 번도 빼먹은 적이 없었다. 꼼꼼하게 잊지 않고 챙겨 왔는데, 나를 이해 못하는 남편의 반응을 보자 내 가슴에도 서운함이 빼곡히 자라나고 있었다.

마감일이 코앞인데 글을 쓸 수가 없었다. 밀려오는 생각을 도통 정리할 수가 없었다. 내 마음을 알 리 없는 남편은 퉁명스럽게 한마디 뱉는다.

"한미숙. 요즘 왜 안하던 짓을 하고 그래? 진짜로 바람난 것 아냐?

남편의 입에서 '바람'이라는 단어가 아무렇지도 않게 흘러 나왔다. 벌써 두 번째 내뱉은 말이었다. 사일 만에 내뱉은 말이 고작 바람이라니. 게다가 이번에는 단단히 화가 난 목소리였다.

나는 남편에게 서운했던 마음을 터뜨리고 말았다.

"그래! 바람났다. 왜?"

이 한마디를 던지고는 주섬주섬 옷을 갈아입고 현관문을 박차고 나와 버렸다.

왜 그랬는지 모르겠다. 무작정 버스에 몸을 실었다. 한산한 오후 거리를 빠르게 훑고 지나온 버스는 어느새 알 수 없는 종점에 나를 내려놓았다. 모처럼 찾아온 한가함에 나는 어리둥절해 지기도 했다. 한참을 서성이며 주변을 걸었다. 마음이 편한 것만은 아니었다. 한편으로는 "바람났다."는 소리를 당당하게 소리치고 나온 내가 우스꽝스럽기도 했다.

간간히 피어있는 코스모스 길을 걸었다. 벌써 가을이 성큼 다가온 것만 같았다. 계절이 바뀌는 걸 느낀다는 게 오랜만이었다. 늘 급하게 계절을 건너뛰었던 나였다. 새삼 21년 만에 찾은 책과 글에 고마운 마음이 들었다.

빼곡한 아파트 건물 숲에 가려 멀리만 보이던 산들도 어느새 덩치 큰 모습으로 다가오고 있었다. 나의 오감을 간질이며 파란 가을 하늘을 가로지르는 새들을 보니, 복잡했던 내 머릿속은 어느새 텅 빈 종이가 되었다. 그동안 내 온몸 구석구석과 뼛속까지 채운 집착과 강박관념들 때문에 힘들었던 지난 시간들을 돌이켜 봤다.

힘들었던 과거의 일상과는 달라진 요즘이다. 한 번씩 톡톡 튕겨져 나오는 쉼표들에게 오늘 나는 또 한 번의 감사함을 느낀다. 어디인줄도 모르는 지금 이곳에서 두려움보다는 오히려 편안함으로 마음이 씻기는 것을 보니 정말 남편의 말처럼 바람이 났는지도 모르겠다. 마음 안으로 밀려오는 바람에 나쁜 기분이 들 탁탁 털어져 나가는 것 같다.

나는 다시 버스에 몸을 실었다. 아이들과 남편이 번갈아 전화를 해왔지만 받지 않았다. 산행을 했던 날에 이어 두 번째로 아이들과 남편의 전화를 받지 않은 것이었다. '엄마 사랑해' 라는 아이들의 문자에도 답장을 하지 않았다. 그리고 한 남자의 아내, 아이들의 엄마이기 전에 내가 하고 싶은 일을 하며 살고 싶었던 여자였음을 다시 깨달았다. 이번 기회에 집안 한 귀퉁이에라도 내 공간을 따로 마련해 두어야겠다는 생각마저 들었다.

어디쯤 왔을까, 창밖으로 지나치는 영화관 앞에서 내렸다. 혼자서 영화관을 찾은 것도 이번이 처음이었다. 두 시간 가까운 시간을 아무 생각 없이 영화에만 집중을 했다. 영화가 끝난 후 이처럼 한가하게 나만을 위한 시간이 없었던 나를 위해 아이들 저녁 걱정도 잊은 채 시내 이곳저곳을 구경했다.

밤 열시가 다 되어서야 집으로 향했다. 현관 앞에는 저녁 대용으로 시켜먹었는지 어지럽게 널브러진 치킨박스가 보였다. 굶지는 않았다는 거니 내 마음이 조금은 가벼워졌다.

나는 아무 일도 없었다는 듯 문을 열고 들어갔다. 아들이 제일 먼저 뛰어와 나를 반겼다. 뒤이어 혼자만의 시간을 잘 즐기고 왔냐는 딸들과 남편의 마중이 이어진다. 나는 아무렇지도 않은 듯 화가 풀린 남편의 마중에 멋쩍은 미소를 지었다.

"엄마 없으니까 좋지?"

괜히 아이들에게 너스레를 떨었다. 아이들은 입이라도 맞춘 듯 동시에 "아니!"라며 큰 소리로 합창을 한다. 그동안 보여줬던 엄마 모습이 아닌 또 다른 엄마의 모습을 보여주자, 아이들은 약간의 혼란을 느낀 표정이었다. 하나 같이 똑같은 표정을 짓는 게 어찌나 웃겼는지 모른다.

화를 내고 집을 나가버린 엄마를 기쁘게 해 주겠다는 마음으로 셋째는 마른 빨래들을 개켜두고 정리까지 해놓았다. 청소기까지 돌렸다며 자랑을 한다. 딸아이가 생전 처음 한 집안 청소였다.

남들은 좋은 기분을 느꼈을지도 모른다. 하지만 난 좋았던 기분이 갑자기 사라져버렸다. 빨래는 털어서 개야 되는데, 청소할 때 각자의 위치에 맞게 정리는 했는지, 또 청소기를 구석구석 빠짐없이 했을까 하는 결벽증이 발동했다. 오히려 딸에게 화를 내고 말았다.

"빨래는 털었어? 물건들은 제자리에 잘 놓긴 한 거야? 청소기는 또 왜 했어? 구석구석 잘하긴 한 거야? 뭐야, 머리카락이 바닥에 그대로네…….”

생각을 그대로 뱉어내는 내 입을 막을 수 없었다. 셋째 딸은 “그래! 빨래는 잘 털어서 개었고 청소도 잘했어”라고 소리치고는 상처받은 얼굴로 휑하니 방으로 들어가 버렸다.

나는 기어코 밤 열시가 훨씬 넘은 시간에 청소기를 다시 돌렸다. 내 말에 상처받았을 딸의 기분은 안중에도 없이 빨래를 제대로 털어서 개 놓았을까? 하는 걱정뿐이었다.

나머지 가족들은 ‘역시 엄마가 결벽증을 고친다는 것은 무리인가 봐’ 라고 생각하는 것 같았다. 아이들과 남편의 표정에서 나는 이미 나쁜 엄마가 되어 있었다. 아차, 싶었지만 이미 주워 담을 수 없는 말이었다. 나는 순간적으로 참지 못하고 칭찬은 커녕 오히려 화를 낸 내 결벽증이 미웠다. 화가 난 엄마를 기쁘게 해 주겠다는 셋째의 마음은 보이지 않을 정도로, 그동안 많이 고쳐졌다고 생각했던 결벽증이 다시 제자리걸음인 것 같았다. 아니 내가 다시 제자리로 돌아간 것만 같았다.

딸에게 미안해졌다. 딸에게 사과를 했지만, “내가 다시는 엄마를 도와주나 봐라” 하며 분을 삭이지 못하고 상처 받은 마음을 여실히 드러냈다.

다음날 나는 딸아이에게 미안하다고 다시 사과를 했지만 상처받은 마음이 풀리기까지는 시간이 좀 더 필요한 듯 싶었다. 나는 딸에게 이렇게까지 상처를 주고도 결벽증을 고치지 못한다면 아이들 엄마이기를 포기한 거나 마찬가지라며 스스로 자책했다.

내 내적, 외적 결벽증으로 인해 아이들이 상처받는 일이 없도록 노력해야겠다고 다시 다짐을 한다. 이 것만 고쳐진다면 남편이 아무리 바람났다고 말한다 하더라도 그 전 보다는 바람난 상태가 더 좋지 않을까 싶다.

나는 지인들에게
책을 낸다는 것은
미치지 않고서야 사람으로서
도저히 할 짓이 못된다며,
우스갯소리를 한 적이 있었다

원고를 끝내고

추석을 챙기지 못하면서까지, 간신히 1차 원고를 마감일에 맞춰 출판사에 넘겼다. 섭섭한 마음이 들 수도 있겠지만, 그런 마음은 눈곱만큼도 들지 않았다. 약간의 설렘과 함께 속이 후련하기까지 했다.

책을 내는 이 힘든 과정을 넘기고 한권의 책이 완성되면, 보고 싶었던 첫사랑이라도 만난 것처럼 설레고 기쁘다는 어느 작가의 말에 공감이 갔다.

나는 지인들에게 책을 낸다는 것은 미치지 않고서야 사람으로서 도저히 할 짓이 못된다며, 우스갯소리를 한 적이 있었다.

글을 쓰는 기간 동안 억눌러 있던 힘겨운 심정을 내뱉었던 것이다. 나는 다시는 책을 내지 않으리라 다짐을 하며, 후련한 속을 혼자서 주체하지를 못하고 미친 듯이 깔깔대며 방바닥을 데굴데굴 굴렀다.

이보다 더 좋을 수가 있을까, "내일부터 나는 진짜로 바람난 홀가분한 아줌마다."라고 외쳤다. 또다시 깔깔대고 미친 듯이 웃었다. 생전 처음 느껴보는 기분이었다. 쌍무지개 뜨는 언덕위에 서있는 기분이 이런 느낌일까, 이 알 수 없는 기분을 지나가는 아무라도 붙잡고 공유하고 싶었다.

글을 쓰는 내내 천사와 악마가 번갈아 방문을 하며 두 개의 선물 상자를 배달했지만, 나는 수많은 유혹에도 악마가 준 판도라의 상자를 열지 않았다. 결국, 천사의 선물 상자를 선택해 여기까지 온 나 자신을 기특해 하며 혼자서 난리법석을 떨었던 것이다.

아들은 '혹시 우리 엄마가 진짜로 미친 게 아닌가.' 하고 걱정스러운 눈빛으로 바라보고 있었다.

"아들아! 엄마가 드디어 글을 다 썼단다."

나는 아무 것도 모를 아들을 붙잡고 흥분된 목소리로 소리를 질렀다.

아들도 덩달아 흥분된 목소리를 내질렀다.

"진짜? 그럼 나 오늘부터 게임 실컷 해도 돼?"

아들은 글을 다 쓴 엄마를 축하해 주기는커녕 그동안 못했던 게임을 실컷 할 생각에 흥분이 되었던 모양이다. 이유야 어쨌든 아들과 하이파이브를 하며 기쁨을 나눈 것도 잠시였다. 원고를 보낸 지 20분도 채 안되어서 출판사에서 전화가 왔다.

나는 왠지 모를 불길한 예감이 들어 잠깐 망설였지만, 스스로 '아닐 거야, 그래 그동안 고생했다는 인사를 하려고 전화를 했겠지.' 라며 침착하게 전화를 받았다.

나는 흥분이 채 가라앉지 않은 목소리였다. 상대편에서는 담담한 목소리로 내가 제일 피하고 싶은 말을 던졌다.

"한 작가님 원고가 조금 모자란데, 조금 더 쓰셔야 할 것 같아요."

이 무슨 운명의 장난인가.

나는 글을 쓰며 판도라의 상자 유혹을 뿌리치고 여기까지 왔다. 순간 앞이 노랗다 못해 캄캄해짐을 느꼈다. 할 말을 잃고, 잠시 침묵이 흘렀다. 네 명의 아이들을 낳을 때보다 더 심한 현기증이 일었다. 그리고는 등줄기에서 식은땀이 흘렀다. 한겨울에 찬물을 두어 바가지쯤 뒤집어 쓴 느낌에 오싹한 기분마저 들었다.

"뭐라고요? 지금 장난 하시는 거죠?"라며 큰 소리로 되물었다.

“한 작가님. 장난이 아니고 진짜로 분량이 모자랍니다.”

차분한 목소리에 나는 그제야 현실을 직시했다. 팔자에도 없는 책은 왜 낸다고 해서 이 고생을 하는지 갑자기 신세 한탄까지 절로 나왔다. 나는 들을 듯 말 듯한 목소리로 알았다고 말하고 전화를 끊었다. 나는 또 미친 듯이 울음 반, 웃음 반이 섞인 목소리로 깔깔대며 울다, 웃다를 반복했다. 다시 시작한 엄마의 이상한 행동에 아들은 멀뚱히 쳐다본다.

“아들, 출판사에서 글을 더 써 보내래.” 아들 또한 화들짝 놀란다.

“나 그럼 언제부터 게임 할 수 있어?”라고 외치며 실망하는 빛이 역력하다. 엄마의 고민은 안중에도 없고 오로지 게임을 못하게 되어서 기분이 나쁜 아들 녀석이 밉기까지 했다.

나는 다시 책상 앞에 앉았다. 나탈리 골드버그작가의 ‘글은 머리로 쓰는 것이 아니라 엉덩이로 쓰는 것이다.’ 라는 말처럼 그동안 밖으로 튀어 나올 것만 같은 엉덩이뼈의 아픔도 끝났다고 생각했다. 하지만 이 청천벽력 같은 전화에 나는 온몸의 힘이 한꺼번에 빠져 나가는 것 같은 기분을 느꼈다. 아니, 정말로 힘이 빠져 움직일 수가 없었다.

남편이 들어왔다. 반쯤 정신이 나간 내 모습을 보더니 “책 한

권 내려다 사람 잡겠다"며 걱정스러운 눈빛이다. 나는 농담이라도 그만 쓰라는 말을 기대했건만, 남편은 그만 두라는 소리는 고사하고 이왕 여기까지 왔으니 조금만 더 힘을 내라며 내 귀에 들어오지도 않는 격려를 하고는 애써 자리를 피한다.

그동안 책을 쓰는 아내가 내심 자랑스러웠던 모양이다. 남편은 내가 출판사와 계약을 하고 글을 쓰기 시작할 때부터 은근히 친구들에게 우리 아내가 책을 낸다며 자랑을 하고 다니곤 했다. 조금은 소극적이고 내성적인 남편이 팔불출 소리까지 들어가며 열심히 책 선전을 하고 다니는 것을 보면 뿌듯하고 힘이 나기도 한다.

나는 순간, 책을 쓰라고 용기를 주며 내 손에 행주와 고무장갑대신 책과 펜을 쥐어준 친구, 투자를 하겠다던 친구, 오만 원 넉 장을 여비하라며 내 손에 꼭 쥐어줬던 친구와 이 밖에도 수많은 용기와 격려를 아끼지 않았던 친구들과 가족들의 얼굴이 주마등처럼 지나갔다. 엉덩이뼈가 살 밖으로 튀어 나온다 해도, 의자에 붙어 앉아 손을 움직일 수밖에 없었다.

'그래, 지금까지 큰 무리 없이 잘 왔는데 다시 초심으로 돌아가서 한 번 더 해보는 거야.' 나는 나 스스로를 격려 했다. 그러고 보면 글을 쓰면서 스스로를 위안하는 법을 많이 깨달은 것 같다. 마음은 다시 조급해지고 초조해진다. 빨리 모든 걸 끝내고 방금 전 느꼈던 홀가분하면서도 오묘했던 기분을 제대로 느끼고 싶었다. 출판사에서 감사 인사를 얼른 하고 싶은 마음에 다시 마음을 다잡아 본다.

며칠 전, 곧 있을 내 출판기념회 첫 순서로 목사님께 축사를 부탁했던 일이 떠오른다. 무조건 "감사합니다." 밖에 모르는 목사님께서 혹 축사 순서에서도 "감사합니다."를 한 백 번쯤 하시고 축사를 마무리 하시지 않을까, 하고 걱정이 될 만큼 평소의 목사님께서는 이 말을 좋아 하신다. 내 부탁에 흔쾌히 축사를 맡아 주신 목사님을 생각해서라도 나는 엉덩이를 의자에 고정할 수밖에 없었다.

그리고 죄송한 마음에 부탁도 못 드리는 내 마음을 읽기라도 하신 듯 먼저 시낭송을 해 주시겠다는 교수님의 얼굴도 새삼스레 떠오른다.

갑자기 원고 분량이 모자르다는 출판사의 전화에 한바탕 소동이 벌어지긴 했지만 이것 또한 내가 갈 길이라면 피하지 말고 차라리 즐기는 편이 나을 거라는 생각이 들기도 한다.

내 귓가에는 여기저기에서 "한미숙 파이팅!" 하며 응원하며 외치는 친구들의 환청이 들린다. 이 환청 소리마저 나는 고마움을 느낀다.

천사에게 또 다른 선물을 달라고 부끄러운 손을 내밀지언정 악마가 전해 준 판도라의 상자는 이번에도 열지 않을 것이다.

문학수업

배움에 봇물이라도 터진 듯 네 아이들보다 더 많은 수업을 듣고 있는 요즘이다. 중국어 수업에 이어 친구의 소개로 '전북문화예술 지원센터'에서 지원하는 '시민 예술 클래스'라는 무료 강좌에 등록을 했다. 수요일 오전 중국어 수업을 마치고 집으로 돌아갔던 나는 이제 점심을 먹을 시간도 없이 바로 강좌를 들으러 정신없이 버스에 몸을 싣는다. 점심도 굶어야 하고, 버스에서 내려 한참을 걸어야만 하는 번거로움에도 내가 이 수업을 빠지지 않는 이유는 어쩌면 나하고 제일 잘 맞는 분야가 아닐까 하는 생각이 들기 때문이다.

처음 문학에 관련 된 수업이라 조금 딱딱하지 않을까 겁을 내기도 했다. 하지만 내 우려와는 달리 첫 수업부터 감동 넘치는 글을 만날 수 있었다. 글을 통해서 힐링을 할 수 있다는 것은 책만 읽는다면 누구나 누릴 수 있는 일이라 생각한다. 게다가 서로의 생각을 공유하며 공감할 수 있는 공간이 바로 이 강좌가 아닌가 싶었다. 나는 특별히 선택받은 자가 된 것만 같아 기쁜 마음을 감출 수가 없었다.

이곳에서의 내 나이는 다른 회원분들에 비하면 이팔청춘이다. 예전의 나는 내 나이에 무엇인가를 배우기에는 늦었다고 생각했다. 하지만 '시민 예술 클래스' 모임에 와서야 내 생각이 틀렸고 배움에 있어 방해 요소가 있다면 그것은 나이가 아니라 닫힌 마음이라는 것을 깨달았다.

배움의 열정과 풍부한 감성은 어디에서 쏟아져 나오는지, 펜을 쥔 손끝의 작은 떨림조차도 시를 노래하는 것처럼 느껴졌다.

꼿꼿이 세운 흰머리 하나로 잡은 열정이 세월을 붙들기에 충분한 공간이었다. 첫 수업부터 내 뇌에 박힌 검은 반점 하나가 황급히 빠져 나가는 느낌이 들었다. 가도 가도 끝이 없는 길을 간다는 것은, 뜨거운 모래사막을 맨발로 걷는 괴로움 같은 것이다. 이제 다시는 죽어버린 내 심장을 그저 넋 놓고 바라보는 구경꾼이 되지 않기 위해 나는 오늘도 이렇게 열정의 바다를 찾아 헤엄을 친다.

첫 수업에 만났던 김선우 작가의 시를 한편 옮겨 본다.

불과 몇 소절의 글이지만 많은 내용을 함축해 전달하려는 작가의 생각을 엿볼 수 있는 작품인 듯 싶다. 나는 이 시를 읽고 시에 대한 내 가치관이 확연하게 바뀌는 걸 느꼈다. 하나의 시선으로 다양한 생각을 나열하면서 새로운 감각을 표출해냈기 때문이다.

<om 2시의 고양이 핑크>

김선우

구두 상자에 들어가 잠자는 고양이(감싸줄 발등을 아는 것처럼)

택배상자에 들어가 꿈꾸는 고양이(무너진 성에 막 도착한 선물처럼)

세면대 속으로 들어가 둥글게 몸을 말고 싱긋 웃는 고양이(장자 혹은 디오게네스 품으로) 고양이가 탐하는 조그만 집에 대해 생각해.

몸 하나만 딱 간수하는 조그만 집속의 고양이 잠을 생각해.

노랑나비잠 쪽으로 언제나 꼬리 끝을 살짝 걸친 듯한 고양이식 낙관에 대해

여러 마리가 한 배에서 자랐어도 완벽하게 홀로 사랑받고 있다는 듯

품고 있는 자의 품에 온전하게 품길 줄 아는 재능에 대해 생각해.

세기 초를 걷는 듯한 고양이 걸음의 도도함에 대해

사람의 품에 안겨 있는 순간에도 혼자일 수 있는 능력에 대해 생각해.

오늘 내 발바닥은 고양이 핑크를 학습하네.

슬퍼도 무기력해지지 않는 고양이 핑크

조그만 비닐봉지에 들어가 사색하는 고양이(다디단 얼굴로)

이 세계의 꿈을 저 세계의 현실로 배달한 중인 듯한

고양이 핑크엔 유리천장이 없네.

어리둥절한 얼굴로 고양이에게 살해당하는 고양이가 없네.

결혼 후 나는 네 명의 아이들을 키우는 일과 유난히 병치레를 많이 하셨던 시댁 어른들 모시고 병원 다니는 일밖에 할 줄 몰랐다. 나의 일상은 여섯 식구의 밥을 하고, 빨래하고, 청소만으로도 하루해가 짧았다. 작년까지만 해도 온 가족이 들어오고 나가는 시간이 달라, 하루에 저녁을 2~3번을 짓는 건 일도 아니었다. 그러니 하루 종일 엉덩이 붙일 시간이 없는 건 당연했다.

넷 중에 누구 하나라도 수학여행을 떠나 며칠 집을 비우면 집안일이 반으로 준 것 같은 한가함에 좋아 어쩔 줄 몰라 하기도 했다. 그런 나를 보고 남편은 "한두 명쯤 입양 보낼까?" 하고는 마음에도 없는 농담을 하곤 했다.

딸을 내리 셋을 낳았을 때는 아들을 낳지 못했다는 생각에

"딸이 없는 언니네 집으로 한명 보낼까?" 하고 농담을 던지는 나였다. 그러면 남편은 "딸이 열 명이 되어도 줄 수 있나. 그래도 못 주지"라며 딸만 낳은 내 서운한 마음을 위로해 줬던 기억이 난다.

가족이 많다는 건, 어느 하나 느슨해 질 수 없는 일이었다. 하나부터 열까지 내가 직접 해야만 했고, 스스로 점수를 올리듯 시간을 쏟아냈다. 하지만 이제는 무언가를 내려놓지 않으면 일주일에 총 네 개의 활동을 소화하는 건 무리다. 도저히 내 결벽증을 충족시킬 수 없는 상황이 되고 말았다.

무엇을 버리고 무엇을 챙겨야 잃어버렸던 나를 찾을 수 있을지 고민이 됐다. 하지만 나는 이내 '시민 예술 클래스' 두 번째 수업을 통해 좋은 글들을 만나면서 해답을 찾을 수 있었다. 버릴 수 있는 건 과감하게 버리는 일이었다. 온전히 나를 향한 시간을 생각해야 잃어버린 내가 돌아올 수 있었다.

결혼 후 쉬지 않고 달려왔던 내 생활에 갑자기 많은 쉼표가 들어찼다. 독서클럽, 시낭송 수업, 중국어 수업, 시민 예술 클래스 모임, 그리고 내가 제일 하고 싶었던 글쓰기까지. 하나씩 생겼고, 그 쉼표를 놓치지 않으려고 최선을 다했던 내 마음이 바로 해답이었던 것이었다.

나는 내 삶의 새로운 쉼표들을 위해 나 스스로 쳐놓은 결벽증이라는 덫에 다시는 빠지지 않을 것이다. 이렇게 뒤늦게라도 터진 이 바람들을 나는 안방 깜깜한 장롱 속으로 다시 끌고 들어가지는 않을 것이며, 살아 춤추는 쉼표로 날게 하고 또 다른 꿈으로 이어갈 것이다.

천하의 한미숙이 어쩌다가

"얘는 애가 넷이야!"

"결벽증이 심해서 날마다 세 시간씩 대청소하는 애야!"

나를 소개할 수 있는 말이 이게 다일까. 부랴부랴 아이들의 이른 저녁밥을 챙기고 참석한 동창회였다. 말없이 앉아있는 나를 수식하는 말들은 겨우 이런 것밖에 없었다. 그 말을 들은 남자 동창생 말들이 더 가관이다.

"정말 넷이나 낳았어? 대단해. 안 믿어진다."

"내리 딸 셋에 아들 하나야? 인간 승리다. 진정한 인간 승리!"

“너 진짜 애국자다. 나라에서 지원도 엄청 받겠구나.”

나는 속으로 ‘지원은 개뿔’을 외쳤다. 다른 그 어떤 말보다 분노가 치미는 말이다. 다들 아이가 넷이면 엄청난 지원이라도 받는 줄 안다. 하지만 오해일 뿐이다. 나는 사람들의 오해에 오늘도 혈압이 오르고 부아가 치민다. 지원 같은 건 없다고 설명하는 것도 이제는 지칠 뿐이다.

“날마다 그렇게 세 시간씩이나 대청소를 한다고? 집이 엄청 큰가 보네.”

“너희 가족들도 질리겠다.”

‘이것들이 정말…….’ 이런 말에 한숨조차 안 나온다. 오랜만에 만나는 자리에서 화를 낼 수도 없으니, 그냥 어색하게 웃고 만다. 이럴 때마다 내 자신이 초라해지는 기분이다. 어느 자리에서나 항상 네 명의 아이들은 화젯거리가 되어, 내 꼬리표처럼 따라다녔다. 왜 아이를 넷 낳은 것이 이토록 지나친 관심의 대상이 되는 것일까. 시간이 약이라고 이제는 그런 말들에 무뎌질 법도 하다. 하지만 큰아이가 열아홉이 될 때까지도 나는 아이가 몇 명이냐는 질문에 언제나 한 박자 늦은 대답을 했다. 내 말을 들은 상대방의 표정이 어떻게 변할지는 불 보듯 빤한 일이기 때문이다.

만약 신혼초로 다시 돌아가서 가족계획이란 것을 세운다면

넷까지는 상상도 못할 일일 것이다. 가끔 나를 모르는 사람마저 계획 없는 사람 대하듯 한다. 주변 친구조차도 무슨 애들을 이렇게 많이 낳아서 고생을 하느냐며 농담 반 진담 반의 소리를 한다. 어쩌다 이런 핀잔의 대상이 되었을까 후회가 된다. 아이를 낳은 후부터 사라져버린 내 인생과 오직 아이를 키우기만 하며 보낸 세월들이 말이다.

그래도 미치도록 감사하고 다행인 사실은 아이들이 내 인생 전부가 될 만큼 사랑스럽다는 사실이다. 하지만 문득 화가 나는 이유는 왜일까. 어쩌면 결혼 전과는 너무도 달라져 있는 내 모습에 화가 났을지도 모른다. 내 분노의 대상은 늘 아이들을 향하기도 하지만, 되돌아와 나를 향해 있기도 한다.

집이 얼마나 크기에 그리 오랜 시간동안, 날마다 대청소냐고 물으면 창피해진다. 내가 살고 있는 집은 24평 아파트다. 초등학교 3학년 아들을 제외하곤 모두 성인의 몸이라 좁게 느껴질 수밖에 없다. 그래도 나는 아침마다 일어나는 화장실의 전쟁만 아니라면 큰 불편을 느끼지 못한다.

둘째가 중학교 때의 일이다. 친구들끼리 모여 조별 과제를 해야 한다기에 우리 집에 와서 하라고 했지만 둘째는 일언지하에 거절을 했다. 아이가 내세운 이유는 간단했다. 우리 집에는 텔레비전도 구식이고, 침대도 없어서 창피하고 방이 좁아서 여러 명이 앉을 수도 없다는 것이었다. 딸은 그동안 마음에 담아 두었던 불만들을 기회를 잡은듯 늘어놓았다. 친구들을 데려오기 창피하다는 둘째의 말에 비좁은 집과 넉넉지 못한 환경에서 태어난 아이들에게 미안한 마음이 들었다.

줄줄이 딸만 셋이니 각자 옷만 해도 한가득이다. 정리정돈을 하지 않으면 이 좁은 집에서 걸어 다닐 공간도 사라질지도 모를 일이다. 만약 나조차도 매일매일 청소를 안 하고, 정리를 안 한다면 집안은 쑥대밭에 전쟁터를 방불케 할 것이다.

사람들은 집이 좁으면 청소가 쉽다고 생각하기도 한다. 하지만 좁은 우리 집은 내가 매일같이 시간을 들여 청소를 해도 표시가 안 난다. 그렇다고 잠깐 방심해서 안하게 되면 표시가 확 나는 집이다.

나는 늘 청소를 해야 한다는 걸 인지하고 깔끔 떨었던 적은 없었다. 같은 말처럼 보일 수도 있지만 그냥 자동이었다. 기계처럼 자동으로 일어나서 밥하고, 청소하고, 등교시키고, 출근시키고, 정리할 뿐이었다.

모두가 떠나고 혼자 남은 집에서 설거지를 시작으로 이불을 털고 청소기를 돌리고 빨래를 한다. 우리 집 세탁기는 단 하루도 거르지 않고 하루 두 번씩 빨래를 한다. 셋째가 세탁기를 보며 한마디를 던진 적도 있었다.

"너도 참! 하고 많은 집중에 우리 집에 팔려가지고 이 고생이냐?"

정말이지 웃지 않을 수 없는 이야기다.

나는 매일 집안 모든 창문을 열고 환기를 시키고, 쓸고 닦고를 반복한다. 대충 일이 마무리 되어 시계를 보면 어김없이 열두 시가 다 되어 간다. 아직 할 일은 태산이다. 가끔 이 시간쯤에서 점심 먹자는 친구의 전화가 걸려오기도 한다.

"야! 나하고 점심을 먹으려면 최소한 하루 전에는 예약을 해야지."

정말 그렇다. 정한 약속 없이 한 번쯤 나갈 법도 하건만 내 성격은 집안일을 끝내지도 못한 상태에서는 외출을 허락하지 않는다. 늘 매번 일이 있어서 안 된다며 점심을, 아니 친구를 거절하고 만다. 그 일이 청소라고는 말 하지 못하지만 말이다.

미리 약속을 하지 않으면 집에서 한 발짝도 움직이지 못하는 나 자신이 요즘 따라 더 한심하게 느껴지기도 한다. 그깟 청소 조금 미루고 내일 해도 될 텐데, 그게 안 되는 게 성격 탓인지 결벽증인지 헷갈린다.

눈 딱 감고, "오늘은 파업이다!"를 외치고 친구들을 만나 커피도 마시고 한산한 동네를 걷는 게 힘든 일도 아닌데 말이다.

보잘것없는 쓰레기봉투 하나에 목숨을 걸고 기분이 좋아지기도 나빠지기도 하는 나를 보고 남편은 자기 탓인 냥 씁쓸한 웃음을 짓기도 한다. 나는 쓰레기봉투를 사지 않고도 쓰레기를 버릴 수 있는 능력이 십년 전부터 생겼다.

막 이사를 온 때였다. 베란다에서 쓰레기장이 훤히 내려다보였다. 쓰레기장에는 가득 채우지도 않고 버린 쓰레기봉투가 많았다. 그렇게 가득 채우지 않은 쓰레기봉투는 자주 내 눈에 띄었고 아깝다는 생각과 동시에 바로 우리 집 쓰레기를 갖고 내려갔다. 나는 그때부터 우리 집 쓰레기를 그 봉투에 가득 채워 버렸다. 가끔 운수 대통하는 날에는 쓰레기봉투 한 곳에 쓰레기를 채워 세 개씩이나 주워 온 적도 있었다.

가끔 누군가 이사를 가면 생기는 행운이었다. 대부분의 사람들은 큼지막한 100리터 쓰레기봉투를 채우지도 않고 버리고 떠났다. 나는 옆에 있던 20리터 봉투 몇 개를 풀러, 큰 봉투에 비우고 빈 봉투를 얻는 식이었다. 일 년에 서너 번쯤은 이런 횡재가 찾아왔다.

겨울이 되면 추위에 언 손으로 묶어진 쓰레기봉투를 풀기가 어렵기도 했다. 그래도 쓰레기봉투 값을 생각하면 겨울이라고 포기할 수는 없었다. 아이들은 이런 내가 창피하다고 말한다.

난 아랑곳 하지 않고 오늘도 베란다 밖으로 고개를 내밀고 쓰레기장을 훑는다.

나는 이런 해괴망측한 짓까지 하며 짠순이가 되어버렸다. 어느 날은 아무렇지도 않다가 또 어느 날은 천하의 한미숙이 어쩌다가 느슨하게 묶어진 쓰레기봉투 하나에 즐거워하는지 한숨이 절로 나온다.

이렇게 평생을 바뀔 것 같지 않던 내 신변에도 바깥 활동을 하며 조금씩 변화가 오기 시작했다. 책을 낸답시고 밤늦도록 노트북 앞에 앉아 있으려니 졸음 때문에 집중이 흐려졌다. 한 잔만 마셔도 새벽까지 잠을 이루지 못하던 커피를 이제는 하루에 대여섯 잔은 기본으로 마신다. 그래도 잠이 쏟아진다. 예전과 다르게 하루 네 시간밖에 잠을 잘 수가 없지만, 오로지 집안일밖에 모르던 내가 조금씩 변화하는 모습에 내가 생각해도 신기할 뿐이다. 예전 같으면 집안 일 때문에 잠을 줄였을 내가, 내 안의 글을 쏟아내기 위해 잠을 줄인다는 게 믿기지 않는다.

문득 '너는 커피도 못 마시지, 술도 한잔 못하지……. 하루 종일 집에서 도대체 무슨 재미로 사니?' 라던 둘째언니의 말이 떠오른다. 이제는 언니에게 당당하게 말할 수 있다. 내 최고의 재미는 독서클럽, 시낭송, 중국어 수업, 문학 수업과 책까지 내려고 글을 쓰는 작업이라고 말이다.

내 변화는 이것뿐만이 아니다. 술을 한 잔도, 아니 한 모금도 못 마셨던 나는 요즘 주량이 늘었다. 유연숙 작가의 출판기념회를 시작으로 맥주 한잔정도는 거뜬히 마실 수 있어졌다. 굉장히 큰 변화가 아닌가 싶다. 폭풍처럼 밀려오는 변화들에 아직은 적응이 잘 안되기도 한다.

아이들과 집안일에만 묶어두었던 내 시간도 이렇게 바깥 활동을 하며 분산이 되니 아이들은 썩 싫지만은 않는 눈치이다. 아이들은 나보다 더 내 바람을 간절히 원하지 않았을까 생각 한다. 아이들도 그동안 엄마의 빈틈없는 집착과 강박관념에서 벗어나고 싶었을 테니 말이다.

불과 삼 개월 전까지만 해도 넷째의 알림장을 보고, 하루도 빠짐없이 준비물과 숙제를 챙겨 주었다. 하지만 며칠 전 준비물을 챙기지 못한 아들이 울먹울먹한 목소리로 전화를 했다. 아들의 울먹이는 목소리에 순간 아들의 학교로 가야겠다고 갈등했지만, 이미 중국어 수업을 듣고 있던 나는 결국 아들의 학교를 가지 못했다. 이런 일이 생긴 뒤로 아들은 스스로 알림장을 확인하고 숙제와 준비물을 챙긴다. 어찌됐든 결과적으로는 스스로 챙기는 방법을 터득했으니 잘된 일이 아닌가 싶다. 이렇게 내가 한 뼘씩 커지고 내 시간을 갖자, 아이들은 나보다 더 크게 두 뺨씩 자라나고 있었다.

결혼 전, 천하의 한미숙으로 다시 돌아갈 수는 없겠지만 이제라도 누구누구의 엄마가 아닌 한미숙이라는 이름을 당당하게 말할 수 있는 내가 되고 싶다.

21년을 단 한번도

내가 좋아하고 하고 싶었던

일을 해 본적이 없었다

나에 대한 생각을

한다는 게 막혀버린

기분이었다

앞으로 나는

앞으로 무엇을 할까?

출판사에서 물어왔다. "작가님은 많이 바뀌신 것 같아요. 앞으로 더 하고 싶은 일 없으세요?" 순간, 대답을 할 수 없었다. 내가 앞으로 어떻게, 무엇을 시작해야 좋을지 갈피를 잡을 수가 없었다. 21년을 단 한번도 내가 좋아하고 하고 싶었던 일을 해 본적이 없었다. 나에 대한 생각을 한다는 게 막혀버린 기분이었다. 작정을 하고 앞으로 하고 싶은 일을 생각해내려 애써보지만 도무지 생각나지 않는다.

나는 단 하루도 오롯이 나만을 위한 시간을 써 본적이 없었다. 그러다보니 구체적으로 앞으로 무얼 하고 싶냐는 질문에 말문이 막히는 건 당연한 일이었다. 풀리지 않는 어려운 수학 문제 앞에서 쩔쩔매는 어린아이가 된 기분에 나 스스로 속상한 마음이 들었다.

앞으로 하고 싶은 일을 찾지 못해 며칠 내내 고민만 했다. 물론 출판사에서는 별다른 질문이 아니었을지 모르지만, 나는 내 자신에 대한 질문에 답을 못했다는 것에 자괴감마저 들었다.

"민경아, 엄마가 앞으로 무엇을 해야 할까. 네가 엄마가 하고 싶은 일을 좀 찾아줄래?"

큰 딸에게 물어봤다. 나를 오랫동안 지켜본 아이기에 할 수 있는 질문이었다. 스스로 생각하면 초라하고 비참한 질문이었다. 말이 끝나기가 무섭게 딸아이가 대답한다.

"엄마, 바보야? 엄마의 꿈을 왜 나한테 물어?"

한마디를 덧붙여 말한다.

"엄마는 꿈을 찾기 전에 그 결벽증과 집착과 강박 관념에서 벗어나면 앞으로 하고 싶은 일이 저절로 보일거야"

돌직구였다. '자식새끼 애지중지하며 금이야, 옥이야, 키워봤자 다 소용 없다'는 어른들의 말은 틀린 말이 아니었다고 다시금 깨달았다. 한편으로는 딸아이의 돌직구에 아무 변명도 하지 못한 게 화가 나기도 했다.

단 하루만이라도 무인도에 가서 누구의 방해도 받지 않고 살아 봤으면 소원이 없겠다고 입버릇처럼 말했던 기억이 떠올랐다. 내 딴에는 대단한 소원이었다. 주변 친구들은 그런 시시한 소원이 어디 있냐며, 가까운 곳에 여행만 가도 방해 같은 건 없을 거라고 말했다.

갑자기 떠오른 기억에 순간 무릎을 쳤다.

'그래, 이거야!'

나는 배낭을 맨 채, 산과 강, 바다의 배경 안에 있는 나를 상상했다. 누군의 방해도 없고 잔소리도 없는 공간과 시간 속을 유영하다 보면 내 마음 안에 여유라는 게 자리잡을 수 있을 것 같았다.

한 달.

내가 생각한 시간은 한 달이었다. 설거지를 하다가도, 빨래를 하다가도 문득문득 한 달이라는 시간을 생각했다. 앞으로 하고 싶고, 해야만 하는 일이 생긴 것만으로도 내 마음 속 고민이 전부 사라져버렸다.

리더스독서클럽 회원들과 함께한 산행을 성공적으로 마친 후 새롭게 하고 싶은 일이 생겼다. 꾸준한 등산이었다. 결혼 전 등산이라면 어디도 빠지지 않고 참석했던 나였다. 결혼 후 건강이 좋지 않아 산을 찾지 않았다는 건 내 자신이 만든 핑계일 뿐이라는 걸 깨달을 수 있었다. 오랜만에 찾은 산은 그대로였다. 긴 시간동안 변한 건 나뿐이었다.

결혼 전 친구들과 속리산을 오른 적이 있었다. 4월의 꽃샘추위에 산은 온통 하얀 눈이었다. 그 위로 다시 함박눈이 쏟아졌다. 급기야 갑작스레 불어 닥친 눈보라에 우리 일행은 바람 피할 곳을 찾아다녔다. 그 눈과 바람에 겁도 나지 않았는지, 우리는 호기롭게 라면을 끓여 먹기도 했다. 온몸을 덜덜 떨면서 호호 불어가며 먹었던 라면의 맛이 아직도 기억나는 건 당연했다.

생각해 보면 산에 대한 기억은 나열하기 힘들 정도로 많다. 차곡차곡 쌓였던 기억들은 다시 고개를 들었다. 새싹이 돋아나고, 들꽃이 지천으로 퍼지는 것처럼 산의 기억이 향기처럼 뻗어나왔다. 내 마음은 이미 산의 정상에 다다라 있었다.

다시 한 번 등산을 통해 좋은 기억을 쌓을 수 있을 것만 같았다.

세 번째 꿈까지 말해보자면, 강사가 되는 것이다.

이 꿈은 책을 쓰면서 만들어진 꿈이다. 학창시절 발표하는 게 두려워 얼굴이 홍당무가 되었던 기억, 선생님이 누굴 시킬까하는 표정으로 반 안을 둘러보면 자연스럽게 고개를 돌렸던 기억이 있는 나에게는 엄청난 꿈일 수도 있다.

결혼 전 회사 생활을 하면서 품질 관리 부서 활동과 노동조합 상집위원 생활을 하면서 많은 사람들 앞에 나서는 두려움이 극복됐던 적도 있었다. 지금은 독서클럽 활동과 시낭송 활동을 통해 무대와 마이크가 친근하기까지 하다.

많은 사람들 앞에 서서 강의를 한다는 생각만으로도 수줍은 웃음이 터져 나온다. 무언가 하고 싶은 일이라는 건, 그 일을 상상하는 것만으로도 이렇게 행복해 질 수 있다는 게 조금은 놀랍다. 그리고 꿈이라는 것, 하고 싶은 작은 일들이 생겼다는 것도 조금은 생소하게 느껴진다.

구체적인 구상은 늘 뒷전이기도 하다. 무엇보다 어떻게 해야 하는지 모르는 부분이 있기도 하다. 책이 나오고, 독자 앞에서 책을 소개하고, 내 이야기를 하다보면 이 꿈도 실행이 어렵지 않을 거라 생각한다.

'도전 정신이라는 말이 괜히 있는 게 아니잖아.' 하고 스스로 독려하기도 한다. 부딪치고 실행만 해도 나는 좋은 열매를 딸 수 있을 거라 믿는다. 나는 내일보다 오늘이 더 젊다는 것을 그리고 도전하기 좋은 시간이라는 것을 잊지 않을 것이다. 이걸 망각하는 순간, 재빠르게 백 세 노인이 되어버릴 것만 같다.

나는 네 번째 꿈도 생겼다.

이미 실행하고 있는 일이기도 하다. 어쩌면 스무 살 이전부터 내 마음 안에 가득하게 자리 잡고 있었는지도 모른다.

언젠가 편지를 써서 빨간 우체통 안으로 밀어 넣으면 설렘이라는 단어가 떠올랐다. 그 설렘이라는 단어 때문인지 나는 매일매일 펜을 들었고, 빨간 우체통 앞에서 편지 보내기를 반복했다. 그 일이 글을 쓰기 좋아하는 나를 만나는 거라는 걸 왜 그땐 알지 못했을까?

글을 쓴다는 작업은 힘든 일이다. 어렴풋하게 예상만 했지만, 이렇게 직접 글을 쓰다 보니 스스로 힘들다는 걸 다시 한 번 깨닫게 됐다. 내가 꿈꾸는 건 베스트셀러 작가가 아니다. 그래도 목표가 있다면, 조금 더 많은 독자에게 읽히는 글을 쓰고 싶은 건 사실이다. 다만, 그 하나에만 집착하는 작가는 되고 싶지 않을 뿐이다.

예전에 택시에 타서 기사님과 책에 대해 이야기를 한 적이 있었다.

"냄비 받침대로, 낮잠을 위한 베개로 이용되는 책은 더 이상 책이 아니죠. 책 안에 진정성이 있다면, 그런 식으로 사용될 일은 없을 거예요."

나는 가만히 진정성이라는 단어를 손바닥에 써내려 갔다. 기사님의 말에 동감할 수밖에 없었다. 내 책이 누군가의 집에서 냄비 받침대로, 베개로 사용되지 않는 책을 내야겠다고 생각했다.

네 가지의 꿈을 나열하고 지금 생각한 것처럼 보일 수도 있다. 하지만 곰곰이 생각하면, 나는 이 많은 꿈들을 늘 바라고 생각했던 것 같다. 그동안 21년이라는 긴 시간 동안 집안을 동굴처럼 만들어, 어둠만을 바라보고 있던 건 내 자신이었다. 비로소 내 스스로 동굴을 무너뜨리자, 안에 있는 꿈들이 발견된 것만 같았다. 어둠과 긴 시간 속에서 사라질 수 있었던 꿈들은 이제 더 단단해졌다. 그리고 바로 시작할 수 있는 것들이라는 생각도 든다.

나는 딸에게 내 꿈을 물었던 시간이 기억에서 사라졌으면 좋겠다. 이렇게 하고 싶은 게 많은 나인데, 왜 그땐 몰랐을까 싶다. 내 행복과 기쁨은 이 꿈들로 채워지고 있다. 마음먹는 게 첫 번째다. 나는 이 말을 계속 생각한다. 이제 두 번째로 넘어가야 할 때다.

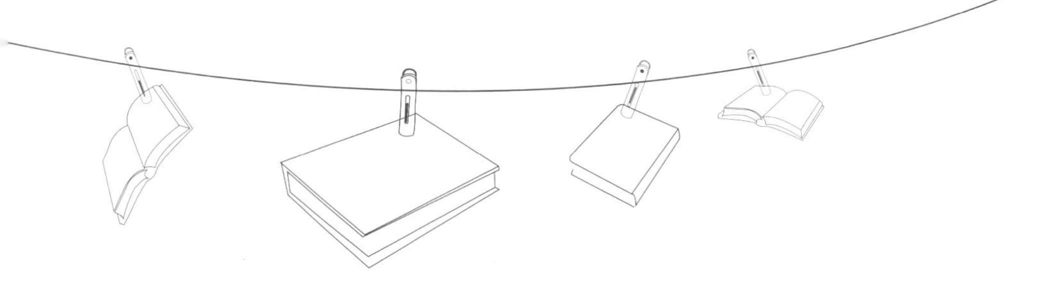

아이들의 편지

\- 사랑하는 한여사께 -

엄마, 안녕! 엄마의 딸들중 요즘 미모가 하늘을 찌르고 있는 첫째딸 민경이가
조금은 오글거리지만 진심을 담아 편지를 써보려고 해. 엄마에게 이렇게 오랜만에
마음을 담아 편지를 쓸 기회가 왔네. 말로는 할 수 없었던 얘기들을 편지로 이렇게
쓸 수 있음에 정말 감사해! ㅎㅎㅎ. 또 언제 이렇게 편지를 써보려나, 다음부턴 직접 말로
행동으로 보여줄게. 아직 편지는 너무 부끄럽고 오글거리단 말이야 ㅋㅋㅋ
일단 첫번째로 엄마의 첫번째 책 출판을 진심으로 정말정말 너무너무! 축하해♡
엄마가 옛날부터 관심가져왔고 좋아하고 능력 있었던 글쓰기라는 분야에서
하나의 노력의 결과물이라고 할 수 있는 책을 내다니... 솔직히 매일 엄마가 컴퓨
터 앞에 앉아 글을 쓰려고 내가 앉아있었던 자리를 뺏어도, 이렇게 엄마에
게 편지를 쓰는 지금 이순간 조차도 책을 낸 다는것이 믿겨지지 않을 정도야.
그래서 책을 낸다는 그 사실이 나에겐 엄청 놀랍고 엄마가 매우 존경스럽고
자랑스럽고 멋있어! 이제 우리엄마도 작가다~ 하고 자랑하고 다니고 있어! ^^
언제부터였는지는 기억나지 않지만 엄마의 글을 이 분야 사람들 뿐만 아니라
모든 사람들이 칭찬해주고 멋있다는 얘기를 했다는 말을 나에게 종종 하곤
했었잖아. 이런 말들을 엄마가 나에게 싱글벙글 웃으며 해줄때마다, 엄마와
내가 함께지내왔던 나날들중 정말 행복한 모습과 환한 웃음을 보여주어서
덩달아 내가 기분이 좋고 행복하더라. 엄마가 그런 얘기들을 들었다는 것은
아마 두번째로 좋았고, 첫번째는 엄마가 즐거워하고 행복해하는 모습을 보아서
내가 더 행복하고 괜히 가슴이 찡하더라. 책 쓰느라, 집안일들에 신경쓰느라
많이 힘들고 피곤하지? 내가 엄마의 예쁜 결과물이 잘 나올때까지 엄마 말
잘 듣고 최선의 노력을 다해서 도와줄테니까 엄마도 힘내서 으쌰으쌰 멋있는
결과물 만들어줘! 뒤에서 아직은 작지만 멋있는 어른이 되고 있는 큰딸이
그림자처럼 변함없이 응원하고 있을게♡

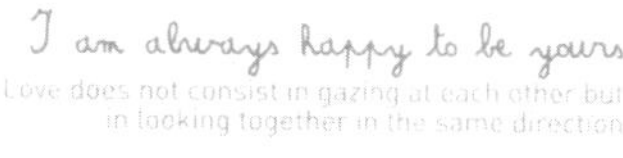

두번째로 생각해보고 돌이켜보면 내 지난 몇년 내 미래에 대한 걱정때문에
엄마, 아빠와 나름대로 우여곡절이 많았지? 내 미래에 대한 나의 고민들은
부끄럽지 않지만 투닥투닥 했었던 엄마와의 지난날들이 생각해보면 조금은
부끄러워.. ㅎㅎㅎ. 솔직히 편지니까 이제서야 조금은 옛날 이야기를 꺼내보려고 해.
옛날, 조금은 기억이 드문드문 하지만 내 마음을 몰라줬었던 엄마에게 엄마의
속마음도 모른척하고 못할 말 많이 했었던 것 같아서 그때 생각하면 아직도
많이 미안해. 그 일에 대한 나의 열정과 확신을 엄마에게 설득하고 설명할
방법을 찾지 못하고 삐뚤어진 방법을 썼던것 같아. 그래도 시간은 조금 걸렸지만
'못난 나를 이해해주고 다시 한번 감싸주고 허락해주셔서 정말 감사합니다 엄마;
엄마가 이렇게 허락해 준 덕분에 내가 하고 싶은 일들에 관련해서 이렇게
조금씩, 한발짝씩 내딛고 있고, 내가 17년동안은 거의 몰랐던 인생의 또다른 재미를
알아가고 있는 것 같아. 예전에도 말했지만, 난 내가 하고 싶은 일에 대한
계획이 있고 확신이 있으니까 예쁘지만 못난 딸 묵묵히 지켜봐주고 응원해줘!
남은 날 절대로 실망시키지 않고 효도하면서 뿌듯한 딸랑구가 될테니까. ^^*
이렇게 못난 딸 돈도 많이 드는 예술하는데 정말 말없이 뒷바라지 해주고
응원해줘서 말로 할수 없을 만큼 감사해요 ♡ 꼭 멋진 딸 될테니 걱정하지마!
지난날 엄마의 예쁘고 아름다운 얼굴에 먹구름 끼게하고 비내리게 해서 미안해.
이제는 엄마가 좋아하는 선선하고 화창한 날만 만들거야 ~♡ 꼭 약속할게!
마지막으로 하고 싶은 말은, 나는 엄마 딸이라서 너무, 정말 좋고 행복하고, 엄마!
엄마가 나의 엄마라서 감사하고 또 감사하고 좋아! 나의 엄마가 되어줘서 고마워♡
다음 생에는 엄마의 엄마로 태어나서 내가 받은 사랑 다 갚아줄테니까 각오해!!!
다시 한번 사랑하는 엄마의 책 출판을 진심으로 축하하고 엄마 정말 정말
사랑해요 ♡♡♡, 오래오래 건강하게 나랑 지지고 볶고 삽시다! 화이팅!!

\- 큰딸 민경올림 -

<둘째 딸>

사랑가득♥

What they think doesn't matter. All that matter is
what I think. I think you are pretty special.

엄마에게

엄마, 안녕? 나 민지야. 엄마한테 편지를 쓰는게 정말 오랜만이라
사실 뭐라고 써야할지 잘 모르겠어.. 먼저 엄마가 글을 쓰고
책을 내는 거 정말로 축하해. ^^ 엄마는 예전부터 글을 잘써서
언젠가는 엄마의 글이 세상에 알려질 것 같았어. 이렇게 책을 내서
여러사람들이 엄마글을 읽는다는게 신기하고 엄마가 하고 싶은일,
즐거운 일을 하면서 엄마 기분이 요즘 참 좋아보여. 나도 나중에 내가
즐거운 일을 꼭 하면서 살거야! 지금은 학교에서의 하루가 바쁘고 정신없이
가버리지만, 공부 열심히하면서 엄마같이 목표를 가지고 노력하면
언젠가는 나도 내가 하고싶은 일을 하고 있을거야.
사랑하는 엄마! 매일 우리 챙겨줘서 너무너무 고마워 ♥♥
그에비해 나는 엄마에게 해준게 많이 없는 것 같아.
앞으로는 엄마한테 받기보다는 내가 뭔가를 해줄거야! 소소한 거라도,,ㅎㅎ
그래서 내가 나중에 돈벌때 첫 월급은 엄마, 아빠를 위해 모두
쓸거야. 얼마전에 시험기간 이었는데도 새 기타 사줘서 얼마나
기분이 좋았었는데! ㅎㅎ
엄마! 내가 항상 엄마한테 걱정끼쳐서 미안하고 그래서
지금까지 말로는 못했지만 항상 엄마한테 고마워 ^^♥
마지막으로 엄마 책 내는거 다시한번 축하하고, 사랑해!

- 둘째딸 민지가 -

〈셋째 딸〉

Lovely

I love you more than anything
else in the world.

hello♡My dear 미숙♡

엄마! ㅎㅎ 엄마한테 편지 쓰는것도 되게 오랜만이라 좀 어색하다..
뭐 알고 있겠지만 나는 제일 예쁘고 (?) 사랑스러운 (?) 셋째딸
민희!! 사실 난 엄마가 책을 낸다는게 아직도 실감이 않나..
어렸을때 학교에서 내주는 숙제중에 독후감 쓰기나 시 쓰기
이런게 있으면 항상 엄마가 도와주곤 했는데 그때는 그냥 엄마가
글을 잘 쓴다는 것만 알고 있었지 지금 이렇게 책을 쓸 줄이야
우리엄마 참 대단해!! good!
그동안 우리 떼도 많이 쓰고 속도 썩이고 말도 잘 안듣고 그런거
물론 나도 잘 알고 있어 ㅠㅠ 그래서 더 미안하고 잘 해야지 잘
해야지 하는데 그게 또 내 마음대로 안되고 그러더라고..
엄마 책 낸다고 했을때만 해도 내가 많이 도와주겠다고
의기양양하게 말해놓고 엄마 속상하게만 한거 같아 미안해.
내가 하고 싶어하는 것들도 하게 해주고 누구보다도 나를 잘 이해해
줘서 정말 고마워. 뻔한 얘기지만 앞으로 해금이랑 공부도 더 열심히
하고 더 착하고 더 예쁜 딸이 되도록 할게. 글 쓰는게 가끔 힘들고
잘 되지 않더라도 엄마가 예전부터 하고 싶어하던 거니까 재미있게
즐겁게 했으면 좋겠어. 내가 항상 옆에서 응원할게!!
말 안해도 알지? 내가 사랑하는거 ㅎㅎ 사랑해♡

- 셋째딸 민희가 -

〈막내 아들〉

사랑가득♥

What they think doesn't matter. All that matter is
what I think. I think you are pretty special.

-엄마에게-

나는 엄마가 책을 안냈으면 좋겠다.
왜냐하면 글을 쓰는 엄마가 노트북을 차지하고
있어서 컴퓨터 게임을 제대로 할수가 없어서 레벨을
높일수가 없기 때문이다.
그리고 매일매일 하루에 열번도 넘게 안아주고
사랑한다고 했던 엄마가 이제는 학교에서 돌아와도
집에 없거나 맨날 노트북앞에 앉아 있다.
그런데 한가지 좋은 점이 있다
놀이터에 놀러가면 꼬박꼬박 시간을 확인하던
엄마가 내가 실컷 놀고올때까지 노트북 앞에서 글을
쓰느라 신경도 안써서 나는 좋다.
이렇게 좋은 점과 나쁜점도 있어서 나는
엄마가 책을 써도 좋고 안써도 좋다.
그렇지만 엄마가 책이 나오면 친구들한테 자랑을
할거다.

엄마! 파이팅!

추신: 엄마! 내가 책 나오면 한권 사줄게!
-사랑하는 아들 태민이가-

epilogue

멈췄던 심장이 또다시 요동을 쳤다. 나는 두려움 반 설렘 반으로 글을 시작했다.

흔히들 책을 쓰는 힘든 과정을 산고의 고통에 비유를 한다. 나는 다섯 번째 아이라도 출산한 것처럼 온몸이 뻐근하고 몸살이라도 걸린 것처럼 찌뿌듯했다. 시간마다, 요일마다 순산과 난산을 반복했던 글들은 드디어 마무리가 되었다.

이미 출산의 고통을 네 번이나 경험한 나지만, 이 다섯 번째 출산이 제일 심한 산고의 고통이 아니었나 싶다. 다시 느끼는 고통인 만큼 첫 아이의 탄생처럼 세상 모든 것들이 새롭게 다가올 것만 같았다. 하지만 산고의 고통이 너무도 컸던 탓일까. 원고 작업이 끝났는데도 아무런 감흥이 없었다.

먼저 책을 낸 작가님들 말로는 불안과 초조, 긴장의 연속이라는데 나는 내가 쓴 원고를 쳐다보기도 싫었다. 오히려 길고 긴 악몽에서 벗어난 듯 후련함에 하늘을 날아갈 것만 같은 기분으로 이틀을 보냈다. 하늘을 날아갈 것만 같은 기분은 잠시였다. 찬물이라도 끼얹듯 흥분된 마음이 채 가라앉기도 전, 또다시 날카로운 전화벨이 울렸다.

"축하합니다. 작가님! 고생하셨습니다. 이제 프롤로그와 에필로그만 보내주시면 끝입니다." 내 원고를 담당하는 출판사 편집자 말에 나는 하마터면 비명을 지를 뻔했다.

어쩌라고, 이제 와서 시작 글과 끝 글을 또 보내라는 거야?

"축하합니다. 작가님!"이라는 소리 들을 때까지만 해도 구세주 같았던 편집자의 목소리는 찰나의 시간 뒤 내 귀에는 괴물 목소리로 들리고도 남았다. 뒤틀리는 마음으로 컴퓨터를 켰다. 글을 쓸 때마다 버벅 거리던 노트북은 어쩐 일로 부팅도 빨리된다. 아, 정말 쓰기 싫다. 아니 정확히 말해서 긴장을 너무 놓았던 탓인지 쓸 말이 생각이 나지 않았다. 갑자기 떠오르는 몹쓸 아이디어, 출판사 대표에게 메시지를 보냈다.

'긴장이 풀려서 그런지 에필로그가 잘 안 써지네요.'

혹시나 하는 마음에 직접적으로 다시 메시지를 보내고 만다.

'혹시 좋은 아이디어 있으면 보내줘요, 컨닝 좀 하게요. 부탁 드립니다.'

야멸치게는 안할 거라는 믿음이 있었다. 기대는 쉽게 무너지는 법이라는 걸 금세 깨닫게 됐다.

메시지를 보내자마자 바로 답장이 왔다. "없는디요." 구수한 전라도 고향 사투리로 딱! 잘라 말하는 매정함에 사장이나 편집자나라는 생각이 들었다. 이놈의 출판사 내가 다시는 안보리라, 마음까지 먹었다. 그동안 애써준 내 엉덩이에게 미안함을 느끼며 다시 자판을 두드렸다.

얼마 전 몇몇 친구들과 지인들이 모여 했던 이야기가 생각났다. 내가 21년만의 외출을 언제부터 준비하고 기다린 건지, 봇물 터지듯 많은 활동을 하는 이야기가 나왔다. 사람들은 화려하게 시작하는 나를 보고 책 제목처럼 진짜로 바람이라도 나는 게 아니냐며 농담 반 진담 반으로 우스갯소리를 했다.

친구들이나 지인이 이런 우려를 하는 것도 내 과거의 삶을 보면 전혀 무리가 아니라고 생각한다. 결혼 후에는 오로지 살림만 했다. 사회활동 경험이 전혀 없는 것과 마찬가지였다. 사람들이 나를 걱정하는 것은 내가 생각해도 당연한 일인 것만 같다. 갑자기 집 안에서 사회에 던져져 스스로 어떻게 나아가야 할지를 아예 모르게 되면 어떻게 될까라는 우려를 스스로 하기도 했다.

하지만 수많은 우려들을 잠재울만한 무기가 나에게도 있었다.

책을 내려니 보잘 것 없는 내 스펙이 부끄럽게 느껴진 때가 있었다. 드러낼 거나 내세울 게 하나도 없다고 생각했다. 내 이런 마음을 친구에게 털어 놓기도 했다. 친구는 내 말에 이런 말을 했다.

"네가 왜 스펙이 없어? 너의 스펙은 네 명의 아이들이야."

항상 그렇게 생각을 하고 살다보면, 어디에 던져져도 부끄럽지 않는 삶이 될 것이라며 용기와 위로를 주었다.

친구는 말했다. 한미숙은 날개옷을 입고 하늘로 올라가고 싶어도 네 명의 아이들 때문에 이미 자격 박탈된 선녀라고 말이다. 우리 아이들이 한미숙의 날개옷을 붙잡고 절대 안 떨어질 테니, 그 아이들을 자랑스럽게 키우면서 스스로 만들 수 있는 스펙을 쌓으라고 말이다. 물론 지금의 생활을 꼭 유지하라는 말도 함께 덧붙였다.

나를 우려했던 친구들과 지인에게 전하고 싶다. 내 걱정은 나 스스로 헤쳐 나갈 수 있다고 말이다.

"모름지기 작가란 다른 사람의 삶에 관해서만 미주알고주알

적어 내려가는 것이 아니라 자기 자신의 삶에 관해서도 소박하고 진심어린 글을 써야 한다."

책 <월든>에서 '헨리 데이비드 소로'가 남긴 말이다.

나 역시 글을 쓰면서 독자에게 최대한 진심으로 다가가려고 노력했다. 어떻게 보면 아무 준비도 없이 삶의 한 부분을 통째로 여러 사람들 앞에 내 놓는 것과도 같았다. 나는 마치 알몸으로 거리를 배회하는 것 같은 기분마저 들었다.

비록 소소한 개인의 일상으로 보일 수도 있다. 하지만 나는 솔직한 속내를 모두 드러내며 부끄러움이 먼저 앞서기도 했고, 두려움이 뒤따르기도 했다. 내가 지금 가는 이 길이 옳은 길인지 아닌지 불안에 떨면서도 한 가지 확신이 들었던 것은 지금 이 순간만큼은 나 자신이 하고 싶어 고고 좋아하는 일을 하고 있다는 것이다. 내 글에 내 일상이 안 들어 갈수는 없는 노릇이다.

잠시도 끊이지 않은 집안일 때문에 비록 차분히 앉아 글을 쓸 형편은 못 되었지만, 나는 매번 진심을 담으려고 노력했다. 책을 쓰며 어떻게든 빨리 가려고 지름길만을 찾아 헤매던 과거의 나를 발견했고, 숨 가쁘게만 달려왔던 지난날을 되돌아보며 잠시 멈추고 생각할 시간을 갖게 되었다. 이 시간을 통한 깨달음에 진심을 담아 독자에게 많은 이야기를 들려주고 싶었다.

이 책을 쓰지 않았더라면 계속해서 잘못을 잘못으로 깨닫지 못한 채 무작정 달리기만 했을 나였으리라 짐작하는 건 어렵지 않다. 이 것을 알기에 다시 한 번 '리더스독서클럽' 으로 나를 이끌어준 친구에게 고마움을 느낀다. 나는 아이들의 엄마일 뿐이라는 틀에 박힌 생각과 결벽증에서 벗어나려고 한다. 스스로 다양한 모양으로 다양한 색깔을 뿜어내며 살아가길 바라고 바란다.

내가 제일 감사해야 할 사람이 있다면 가족이 아닌가 싶다. 약도 없다는 중증 결벽증인 나를 도와 틈틈이 집안일을 도와준 남편과 편지까지 써 주며 엄마를 응원했던 나의 스펙 네명의 아이들. 이 자리를 빌려 고맙다는 말을 전하고 싶다.

그리고 어려운 길을 선택한 나를 걱정스럽고 안타까운 시선으로 바라보면서도, 묵묵히 응원을 해 줬던 시댁식구들과 친정식구들에게도 이제야 감사함을 표한다.

20만원의 여비를 챙겨 주던 친구, 내 형편을 생각해 백만 원을 투자하겠다던 친구, 친구가 책을 내는데 최소한 열권은 사줘야 한다는 친구, 그리고 수많은 용기와 격려를 아끼지 않았던 여러 친구들에게도 끝이 없는 고마움을 느낀다.

목사님을 비롯해 우리 "진리와 은혜 교회" 성도님들에게도 은혜 충만하기를 바라며 같이 기뻐해줌에 감사를 전하고 싶다.

마지막으로 내 인생의 터닝 포인트가 되어준 도서출판 더클 코리아의 대표님, 내 글의 편집을 도와준 출판사 직원들에게도 진심어린 고마움을 전하고 싶다.

'고맙다'라는 말이 이렇게 작게 느껴지는 건지 처음 알았다.
이 한 마디 말로 다 표현할 수 없다는 게 안타까울 뿐이다.

사랑합니다.
그동안 나와 함께해준 모두 감사했습니다!